D0586038

Skiën & Snowboarden

Rosanne Cobb

Skiën & Snowboarden

Veltman Uitgevers

Dit boek is opgedragen aan Winky, mijn sportmaatje. Als er ooit een meid geweest is die een gebruiksaanwijzing nodig heeft, is zij het.

Oorspronkelijke titel: Skiing & Snowboarding

Ontwerp: Fiona Screen
Fotografie: Guy Hearn

Redactie en productie Nederlandstalige editie: Textcase, Hilversum
Vertaling: voor Textcase, Céline Jongert
Omslagontwerp: Ton Wienbelt, Den Haag
Opmaak: De ZrIJ, Utrecht

ISBN 90 5920 391 7

Voor meer informatie: www.veltman-uitgevers.nl

De informatie, adviezen en oefeningen die in dit boek gegeven worden, zijn slechts een richtlijn en zouden geen schade of letsel tot gevolg moeten hebben als ze zorgvuldig opgevolgd worden. U dient uw huisarts te raadplegen voordat u aan welk fitnessprogramma dan ook begint, als u zwanger bent of kort geleden bent geweest, of als u op leeftijd bent of een chronische of regelmatig terugkerende medische aandoening hebt. De auteur en uitgevers aanvaarden geen enkele aansprakelijkheid.

Inhoud

Inleiding		**6**
Hoofdstuk 1	Kleding	**14**
Hoofdstuk 2	Ski's, boards & schoenen	**24**
Hoofdstuk 3	Training & conditie	**52**
Hoofdstuk 4	Op naar de piste	**68**
Hoofdstuk 5	Weer & terrein	**98**
Hoofdstuk 6	Een bestemming kiezen	**106**
Verklarende woordenlijst		**125**
Register		**126**
Dankbetuiging		**128**

Inleiding

Skiën en snowboarden zijn twee van de meest opwindende sporten ter wereld en ook nog eens uitermate geschikt voor het verkrijgen van een algeheel goede conditie. Hoewel u als u de berg afvliegt, niet in de gaten zult hebben dat u traint, gebruikt u vrijwel al uw spieren voor een perfecte balans en controle.

Laat u niet verleiden om zonder gekwalificeerde instructeur te leren skiën of snowboarden, tenzij u voornamelijk wilt gaan genieten van de genoegens die het lokale skihotel te bieden heeft. Onder de begeleiding van een professionele trainer leert u binnen de kortste keren skiën. De instructeur zal u onder andere laten zien hoe u uw gewicht moet plaatsen, hoe u voorkomt dat u voorover valt en hoe u een lift moet gebruiken. Deze dingen liggen niet in de menselijke natuur en u zult ze veel sneller leren met deskundige hulp dan door het zelf te leren via vallen en opstaan.

Recreatief skiën en snowboarden

De algemene aanduiding 'skiën en snowboarden' omvat veel verschillende disciplines. Tegenwoordig bestaan er wedstrijden in skischansspringen, slalom, reuzenslalom, telemark, alpineskiën, nordic, freestyle, freeride, blading, rollerskiën, half-pipe en snowboardcross om slechts enkele van de bekendste te noemen. Hoewel de gewone sport vaak 'skiën' of 'snowboarden' wordt genoemd, gaat het hierbij om de recreatieve vorm en wordt meestal gedoeld op alpineskiën (vanwege zijn ontstaan in de Alpen) en 'freestyle' of 'freeride' snowboarden.

Anders dan bij andere skistijlen ligt de nadruk bij het alpineskiën op de afdaling van een berg, in plaats van het afleggen van lange afstanden op hoofdzakelijk vlak terrein of het maken van grote sprongen in de lucht. Ook de uitrusting verschilt bij alpineskiën – de ski's zijn getailleerd en hebben bindingen, waarmee ook de hiel wordt vastgeklemd.

Freestyle of freeride snowboarden kenmerkt zich door het gebruik van het type schoen. Tegenwoordig zijn softschoenen standaard voor beginners. Meer ervaren snowboarders die meer geïnteresseerd zijn in racen dan in tricks, kunnen ook hardschoenen gebruiken. Deze hardschoenen lijken erg op skischoenen.

Ook nordic moet vermeld worden, omdat deze discipline erg populair is en bovendien een uitstekende intensieve training voor hart en bloedvaten is. De Noordse stijl is de algemene aanduiding voor de skidisciplines uit Noorwegen, zoals skischansspringen en crosscountryskiën, dat nu beter bekend is als crosscountry. Bij het Noords skiën worden lange afstanden afgelegd over een redelijk vlak terrein en ligt de nadruk op conditie en uithoudingsvermogen. Veel wintersportoorden hebben nordicbanen, andere wintersportoorden concentreren zich op crosscountry.

Skivakanties

Tenzij u tot de paar gelukkigen behoort die dichtbij een besneeuwde berg wonen, moet u om te skiën vaak lang reizen en daarom tenminste een aantal dagen per jaar opofferen. Daarom valt skiën of snowboarden vaak samen met een vakantie.

Er zijn net zoveel mogelijkheden voor skivakanties als er verschillende sneeuwsoorten bestaan, van volledig verzorgde en begeleide reizen inclusief vlucht, transfer en skileraren tot hotels met stapelbedden, waar de eigenaars zich er niet om bekommeren waar u vandaan komt of waar u heen gaat. Elke vakantievorm kent zijn voordelen, maar voor beginners of voor diegenen die van een makkelijk leven houden, is het boeken van een skivakantie via een touroperator het prettigst, omdat u goed geadviseerd, begeleid en verzorgd zult worden.

Sneeuwloze skimogelijkheden

Hoewel u om te skiën of snowboarden meestal een of twee weken op vakantie zult gaan, kunt u deze sporten ook beoefenen als u niet bij een berg woont. Degenen die in Nederland of in een ander vlak, laag of warm gebied wonen, kunnen skiën en boarden op kunstskipisten, op gras of op kunstmatige 'borstelbanen'.

Indoorhallen maken gebruik van kunstmatige sneeuw en geven je heel even het gevoel een berg af te dalen, tot je beneden aankomt of op de drukke baan tegen iemand anders aan botst. Hoewel ze erg nuttig kunnen zijn voor beginners of voor speciale freestyletrainingen, zijn ze vaak te kort om echte vooruitgang te boeken en worden ze ongelooflijk glad.

Het grasskiën is een sport op zich. Er wordt gebruik gemaakt van speciale ski's met wieltjes en de terreinboards voor het grasboarden zijn grote skateboards met riemen voor de voeten. Deze vorm van skiën is niet erg gangbaar en wordt meestal alleen beoefend door bezeten skiërs die ook tijdens de zomer niet zonder hun training kunnen.

Borstelbanen worden meestal gemaakt van 'dendex' en lijken op een veld van tandenborstels, vaak boven op een sproei-installatie, zodat er minder wrijving is en er gemakkelijker gegleden kan worden. Er wordt gebruik gemaakt van precies dezelfde ski's en boards als voor echte sneeuw. Hoewel ze handig zijn om te oefenen, vormen borstelbanen geen bevredigend alternatief voor de bergen, omdat ze te kort zijn en ze het gevoel van skiën op sneeuw niet kunnen benaderen. Met andere woorden: er zit niets anders op dan koers te zetten naar een besneeuwd wintersportoord om te skiën of te boarden en er de rest van de week te blijven.

Skischool

Om te leren skiën of snowboarden is het bezoeken van een skischool essentieel. De naam skischool roept een beeld op van streng, gereglementeerd onderwijs – maar dit is zeer zeker niet het geval. De sfeer is ontspannen en de nadruk ligt naast leren ook op het maken van plezier. Een skischool is ook niet alleen voor beginners. Zelfs toptrainers, die zelf andere leraren onderwijzen, nemen lessen. Wilt u een goed figuur slaan op de berg (nadat u ook het hoofdstuk over kleding in dit boek hebt bekeken), neemt u dan alle tips over ski- en boardtechnieken ter harte. Skiinstructeurs kennen het gebied en kunnen u altijd suggesties doen om uw stijl te verbeteren en u nieuwe dingen leren.

In vrijwel alle skigebieden ter wereld zijn ook skischolen. In grotere gebieden zal er vaak een keuze uit meerdere scholen zijn. Soms bieden de grotere scholen anderstalige leraren aan of hebben kleinere klasjes.

Er zijn drie manieren om een plek te reserveren bij een skischool: voor aankomst (via een touroperator of internet), bij aankomst in het skioord of 's ochtends op de piste. Er zou geen prijsverschil moeten zijn en als u in de gelegenheid bent om van tevoren te boeken, maakt u de onvermijdelijke chaos van de eerste ochtend iets minder hectisch. Vertegenwoordigers van verschillende skischolen bezoeken 's avonds hotels en chalets, dus zelfs als u voor aankomst geen lessen hebt kunnen reserveren, kunt u dit dan alsnog doen. Mocht u besluiten 's ochtends te reserveren: de skischolen zijn meestal duidelijk te herkennen op de piste, zodat u ze makkelijk kunt vinden. Zorg er wel voor dat u tijdig komt, zodat u punctueel voor uw eerste les verschijnt.

Skischolen bieden vaak verschillende lesmogelijkheden aan:

- **Dagelijkse groepslessen** Elke skischool biedt verschillende groepslessen aan voor alle niveaus. Voor beginners vormen deze lessen de beste keuze. Als een skileraar u elke dag in de gaten houdt, voorkomt u dat u verkeerde technieken aanleert en kunt u ook van uw medeleerlingen leren. Groepslessen zijn vaak een grote steun. Neemt u niet deel aan een groep die groter is dan 12 skiërs of 8 boarders, tenzij u er op de een of andere manier in slaagt om de aandacht van de leraar vast te houden.

- **Privé groepslessen** Dit zijn exclusieve lessen die u zelf regelt. Ze zijn heel geschikt om tussen de lessen door in de sneeuw te oefenen en tevens van uw medeleerlingen te leren door ze in de groep gade te slaan. Regelmatige privé groepslessen zijn aanbevelenswaardig voor degenen die niet graag skiën of boarden met personen die ze niet kennen. Maar als de groep is samengesteld uit personen van een verschillend niveau, kan dit nadelig zijn voor uw vorderingen, omdat de leraar de les moet afstemmen op het zwakste lid van de groep.

- **Individuele lessen** Deze lessen zijn geschikt voor beginners die behoefte hebben aan individuele begeleiding en voor gevorderde skiërs die intensieve aandacht van een skileraar willen om hun capaciteiten te perfectioneren.

Internationale verschillen

Alhoewel skischolen wereldwijd tamelijk standaard zijn, bestaan er per land kleine stijlverschillen wat het ski- of snowboardonderwijs aangaat. Als algemene richtlijn kunnen we zeggen dat de onderwijsstijl van Canadezen, Engelsen, Amerikanen, Nieuw-Zeelanders en Australiërs voor skiën en snowboarden aardig overeenkomt. De Fransen, Oostenrijkers en andere Europese landen passen een iets andere stijl toe. Beide groepen zijn van mening dat hun stijl de beste is en beide hebben hun voordelen. De Europese stijl heeft iets meer flair, terwijl de Engelstalige skiwereld meer gericht is op de technische aspecten van de sport dan op schoonheid.

Hoe lang duurt het?

Dit verschilt tussen skiën en snowboarden. Bij snowboarden boekt u snel technische vooruitgang en het is enigszins pijnlijk. De eerste drie dagen zult u alle moeite hebben om overeind te blijven, maar aan het eind van de derde dag komt u gewoonlijk op dreef. Om perfect te leren skiën hebt u meer tijd nodig. Skiërs zullen na de eerste dag weliswaar niet meer zo vaak vallen, maar het duurt langer voordat ze hetzelfde niveau bereiken als een boarder. Maar na een week van lessen en oefenen zou u in staat moeten zijn om zelfverzekerd een berg af te dalen.

Zelfvertrouwen

De grootste hindernis om deze sport te leren is een gebrek aan zelfvertrouwen. Steeds weer vallen skiërs terwijl ze proberen een bocht te maken, omdat ze zodra ze snelheid hebben, hun zelfvertrouwen verliezen. Ze durven niet veilig verder en kunnen niet terug. Het klinkt afgezaagd, maar zonder voldoende zelfvertrouwen zult u niet goed leren skiën.

Een typische dag

Bij skiën leert u heel intensief en uw normale leven staat gedurende die tijd compleet stil. De hier beschreven dag schetst een typisch voorbeeld van een aangename dag van een beginnend skiër of snowboarder:

7.30 U wordt wakker en wenst dat u nog zou slapen, aangezien u zich door het lagere zuurstofgehalte lomer voelt dan normaal.

8.00 Ontbijt van koolhydraten, eiwitten en vetten om de ochtend te doorstaan.

8.30 Verzamel alles wat u nodig hebt voor de dag. Bepaal hoeveel lagen u aan wilt trekken en of u een zonnebril of sneeuwbril nodig hebt.

9.00 Vertrek naar het verzamelpunt van de skischool.

9.30 Begin van de lessen. U bereikt weer hetzelfde niveau als de laatste keer dat u in de sneeuw stond, of dat nu een dag of een jaar geleden was.

11.30 Pauze in restaurant voor water en wat te eten. Rangschik alle kledingstukken die u irriteren, bijvoorbeeld sokken die niet goed zijn opgetrokken, en maak uw schoenen los, zodat uw voeten even kunnen uitrusten. (Dit is het tijdstip voor warme chocolademelk, glühwein of koffie.)

12.00 Skiën/boarden.

13.30 Veel water en lichte lunch om energie op te doen voor de middag.

14.30 Aangezien u moe begint te worden, zal de skileraar het tijdens de middaglessen rustiger aan doen. U krijgt de mogelijkheid om alles wat u die ochtend hebt geleerd in praktijk te brengen. Als u zonder skileraar skiet, zult u het idee hebben dat u de slag aardig te pakken hebt en kunt u beter voor eenvoudige pistes kiezen.

15.30 Skischolen sluiten voor de dag en het is tijd voor een water- en snackpauze met een lichte versnapering van alcohol, suiker of cafeïne.

16.00 Verlaat de piste en ontspan even in een bar of ga rechtstreeks naar huis om voldoende tijd te hebben voor après-skiactiviteiten zoals een warm bad, massages of voor de energiekelingen schaatsen, bowlen of winkelen.

19.00 Neem een douche en smeer met een verkoelende lotion de plekken op uw gezicht, oren en nek in die u had vergeten in te smeren met zonnebrandcrème. Trek iets aan dat verhult hoe wit uw armen en lichaam zijn in tegenstelling tot uw bruine gezicht.

20.00 Avondeten. U valt bijna in slaap, omdat uw lichaam de resterende energie zal inzetten om uw voedsel te verteren.

21.30 U ontspant en verkondigt wat een geweldig skiër/boarder u nu bent, hoe geweldig skiën/boarden is ten opzichte van boarden/skiën en hoe u natuurlijk morgen de zwarte piste zal nemen.

22.30 Tijd om uit te gaan en uzelf onder te dompelen in de lokale cultuur – of de cultuur van de reisorganisaties in dit gebied.

0.00 Hopelijk terug naar uw accommodatie en naar bed.

1.00 Beslist terug naar uw accommodatie en naar bed.

3.00 Zonder gekheid, u bent echt veel te laat en zult morgen skiën als een dweil.

1 Kleding

Voor skiën en snowboarden hebt u om twee verschillende redenen geschikte kleding en uitrusting nodig. Ten eerste is de omgeving extreem en erg veranderlijk. Ten tweede is het een gevaarlijke sport, waarbij u en anderen zich met hoge snelheden verplaatsen. Als u denkt dat u het kunt doen zonder de juiste kleding en uitrusting, staat u een teleurstellende ervaring te wachten, die gevaarlijk en zelfs fataal kan zijn. Er is een verhaal over een skiër die doodgevroren is in een stoeltjeslift die enkele uren stilstond, omdat hij een doorweekte spijkerbroek droeg. Dat kan gebeuren. Bovendien wilt u er toch niet uitzien als een beginner, zelfs als u er een bent.

Belangrijkste basisstukken

Voor skiën en snowboarden hebt u een aantal specifieke kledingstukken nodig, maar de belangrijkste basisstukken zijn hetzelfde:

- **Donkere zonnebril** met een goede UV-bescherming (dichtbij 100 % bescherming UVA en UVB) Pas op voor zonneblindheid: de UV-straling in de bergen is ongeveer 30 % hoger dan op zeeniveau.
- **Sneeuwbril** voor als het sneeuwt of om tranende ogen te voorkomen bij hoge snelheid.

- **Muts** – wollen muts als het koud is, zonnehoed als het warm is (een zonnesteek is waarschijnlijker op een berg, aangezien u hoger bent en de zon door de witte sneeuw wordt gereflecteerd).
- **Zonnebrandcrème** aangezien de reflectie van de witte sneeuw uw blootstelling aan UV-straling verdubbelt.
- **Handschoenen** ter bescherming. Snowboarders hebben goede handschoenen nodig, aangezien zij vaker met de sneeuw in aanraking komen dan skiërs. Skihandschoenen hoeven niet waterdicht te zijn. Wanten houden de handen meestal warmer omdat de lucht kan circuleren.
- **Helm** – omdat skiën en boarden geen 'extreme sporten' zijn, is het meer een marketingtrucje. Helmen worden vaak gedragen en zijn in veel landen verplicht voor kinderen onder de 14 jaar.

Bovenkleding

Jas

De twee belangrijkste punten om te onthouden als u een jas koopt, zijn dat de kwaliteit samen met de prijs terugloopt en dat jassen waterdicht MOETEN zijn. Waterdichtheid wordt gemeten als de hydrostatische druk in mm waartegen het materiaal bestand is. Een waarde van 20.000 mm bevindt zich aan de hogere kant van de schaal en zou voor de meeste omstandigheden moeten volstaan. Voor serieus skiën en boarden is tenminste 5.000 mm aan te bevelen. Gore-Tex biedt bescherming tegen water en is tevens ademend. Het is een membraan van polytetrafluoroethyleen (PTFE) dat op nylon of polyestermaterialen wordt gelamineerd. Het houdt water tegen, maar heeft ook een ademend vermogen, dankzij zijn microscopische poriën, die kleiner zijn dan watermoleculen maar groter dan waterdamp. Gore-Tex is bovendien ongelooflijk duurzaam, hetgeen handig is als u boomtakken raakt of ski's of boards met scherpe randen draagt.

Hoe warm uw jas moet zijn, hangt volledig af van de locatie waar u heen gaat. In sommige gebieden is het bitterkoud en kan uw gezicht bevriezen als het onbedekt is. In andere gebieden bereiken de temperaturen gedurende veel periodes in het jaar waarden als tijdens strandvakanties. Derhalve is een goed veelzijdig jack altijd voorzien van een binnenjas van fleece, die u uit kunt trekken bij warmer weer. Het is handiger om een dunner jack te hebben met meerdere lagen eronder dan om te proberen een groot, dik jack geschikt te maken voor warmere omstandigheden.

Een jack kan verschillende soorten extra's en foefjes hebben. De handigste kenmerken zijn:

- Hoge kraag met ritssluiting om te beschermen tegen wind en sneeuw.
- Elastieken mouwen (verborgen of zichtbaar), zodat er geen sneeuw in de mouwen komt.

- Ritssluitingen en naden met overslag voor isolatie.
- Sneeuwrand om te voorkomen dat sneeuw in uw broek of jack komt als u valt.
- Ventilatieopeningen met ritssluiting aan zijkant, voor als het warm maar vochtig weer is.
- Binnen- en buitenzakken.
- Capuchon met trekkoord.
- Zeemleer of ander materiaal om zonnebril of sneeuwbril schoon te maken, bevestigd in een binnenzak.
- Uitneembaar binnenjack/fleece.
- Afritsbare mouwen voor wanneer het zonnig en warm is.

Broek

De broek moet evenals het ski-jack waterdicht en ademend zijn. Voor snowboarders is dit nog belangrijker dan voor skiërs, omdat ze veel zitten en neerhurken. Voor boarders is een waarde van minimaal 5000 mm tot 10.000 mm aan te bevelen. Kies liever een ruimere broek. Hierin kunt u zich beter bewegen en het ziet er minder gek uit met uw grote schoenen en handschoenen.

De belangrijkste kenmerken voor een goede broek zijn:

- Verstelbare broekband voor als u veel gegeten hebt of extra kleding in de broek wilt stoppen.
- Elastieken boorden (liefst verborgen).
- Ventilatieopeningen met ritssluiting aan de binnen- of buitenkant van de broekspijpen voor verkoeling.
- Verstevigd knie- en zitvlak.
- Extra zakken.

Vijf tips om warm te blijven

1 Houd uw hoofd warm met een muts. De meeste lichaamswarmte wordt via het hoofd afgegeven.
2 Draag wanten en gebruik handwarmers (chemische kussentjes die u verwarmt) in uw handschoenen en schoenen.
3 Houd uw armen langs uw lichaam met de handen naar buiten als een pinguïn. Beweeg uw schouders op en neer en houd uw armen recht. Hierdoor wordt het bloed naar uw handen gepompt en worden ze warm. Hetzelfde kunt u doen met uw tenen, als u de slagader in uw dijbeen kunt vinden die het bloed naar de voeten pompt.
4 Draag een skimasker of sjaal rond uw gezicht als er veel wind staat.
5 Borstel de sneeuw van uw kleren, zodat ze droog blijven.

Vijf tips om koel te blijven

1 Bescherm uw hoofd tegen de zon met een hoed of helm.
2 Kies een broek/jack/handschoenen met ventilatieopeningen met ritssluitingen.
3 Gebruik een zonnebrandcrème met hoge beschermingsfactor tegen zonnebrand en wind.
4 Neem water mee, zodat u niet uitdroogt, en drink om de 5-10 minuten.
5 Blijf aan de schaduwzijde van de berg.

Bescherming voor het lichaam

Met name voor snowboarders, aangezien ze vaker vallen.

- **Kniebeschermers**. Voor beginners en freestyleboarders. Kleinere kniebeschermers kunnen ook gebruikt worden om de knieën warm te houden. Freestyleskiërs dragen soms beschermers, maar gevorderde skiërs vallen op hun zij en niet op hun knieën.
- **Zitvlakbeschermer**. Dit zijn korte broeken met plastic platen, die u onder uw ski-/boardbroek draagt. Ze komen oorspronkelijk uit de mountainbike-industrie en zijn handig voor skiërs, maar met name voor boarders. Uw zitvlak zal enorm lijken, maar in ieder geval zal het niet opzwellen door de kneuzingen.
- **Polsbeschermers**. De meest voorkomende blessure bij het snowboarden is een gebroken pols. De meningen zijn verdeeld over het belang van polsbeschermers. Sommigen zijn van mening dat de beschermer het blessuregevaar slechts verplaatst naar de arm en een ernstigere verwonding kan veroorzaken.
- **Rugbeschermer**. Deze is handig voor extreme boarders/skiërs of freestylers.
- **Speciale beschermers voor slalom**. Deze zijn specifiek voor slalomtraining en hoeft u alleen aan te schaffen als u hoge snelheden bereikt.

Aandachtspunten

- **Gebruik voor de veiligheid** oogbescherming, zonnebrandcrème en in het ideaalste geval een helm.
- **Gebruik om warm te blijven** zijden of thermisch ondergoed met wanten en een muts/helm.
- **Gebruik om droog te blijven** een speciale jas (zoals boven beschreven), broek en handschoenen.
- **Gebruik om koel te blijven** een hoed, en een jas en broek met ventilatieopeningen.

Onderkleding

Uw onderkleding moet warm maar ademend zijn. Dit kan tegenstrijdig klinken, maar 'thermische' materialen zoals polyester nemen vocht op van het lichaam en verdampen het, zodat het lichaam kan ademen en warm blijft. Kies voor een ademend vermogen van ongeveer 2000 g (dit heeft betrekking op de hoeveelheid vocht in gram dat door een meter materiaal kan worden opgenomen in 24 uur) als deze eigenschap vermeld staat; kijk anders of het materiaal vocht opneemt en verdampt. Zijde is ook een natuurlijk isolatiemateriaal, ademend en het neemt vocht op van de huid.

Fleece is een mengeling van polyester en velours, waardoor luchtzakjes ontstaan die lucht en lichaamswarmte vasthouden. Er is geen goed alternatief voor fleece. Fleece bestaat in verschillende gewichtsklassen afhankelijk van de warmte die het vasthoudt; gewichtsklasse 100 is een tamelijk lichte fleece terwijl gewichtsklasse 300 u heerlijk warm zal houden.

Kleding om optimaal warm te blijven

- Draag op de huid thermisch ondergoed zoals polyester of zijde, en daaroverheen een fleece.
- Draag liever verschillende lagen dan een dikke fleece, zodat u lagen uit kunt trekken als u het te warm krijgt.
- Gebruik skisokken om uw voeten warm te houden – het liefst anatomisch gevormde voor meer comfort. Het dragen van twee paar gewone sokken is minder effectief en uw voeten zullen minder warm blijven. Koude/pijnlijke voeten zijn het grootste ongerief in de bergen. Laat uw dag niet bederven door het maken van een dergelijk simpele fout als slecht zittende sokken.
- Draag leggings of lange onderbroeken.

2 Ski's, boards & schoenen

De laatste 50 jaar heeft veel vernieuwing plaatsgevonden op het gebied van skiuitrusting en dit lijkt voort te duren, aangezien een groeiend aantal skiërs en boarders hogere eisen stelt en er nieuwe materialen worden ontwikkeld. Ski's en boards worden gemaakt van een meerlagige combinatie van materialen, die voor duurzaamheid en flexibiliteit zorgen onder verschillende sneeuwcondities. De kern bestaat uit hout of polyurethaan, terwijl de rest van de ski wordt gemaakt van glasfiber, aluminium, staal, rubber, koolstof, kevlar en andere materialen. Gelukkig weten ski-/boardfabrikanten uitstekend hoe de verschillende materialen onderling reageren en welke invloed temperatuur, snelheid en druk hebben, zodat u zich daar geen zorgen over hoeft te maken.

Opbouw van een ski

1 Kant
2 Shovel (omhoog gekrulde punt)
3 Achterkant
4 Punt
5 Binding
6 Rem/skistopper
7 Teenstuk
8 Hakstuk

Ski's voor speciale doeleinden

- **Recreatieve standaard carveski's** De lengte van de ski reikt over het algemeen tot het voorhoofd van de skiër. Carveski's hebben een smalle taillering om makkelijk bochten te maken en te sturen.
- **Freestyleski's** Korter en soepeler dan carveski's, meestal met symmetrische punten om ook achteruit te skiën.
- **Slalomski's** Gebouwd voor hoge snelheid, langer en smaller, en diep uitgesneden voor het maken van bochten.
- **Poederski's** Bredere ski's om het oppervlak te vergroten en het gewicht van de skiër beter te verdelen, zodat hij hoger op de diepe poedersneeuw ligt. De bindingen bevinden zich vaak verder naar achter, zodat de punten niet in de poedersneeuw wegzakken.
- **Skiercross- en freerideski's** Iets breder in het middengedeelte, zodat ze geschikt zijn voor alle terreinen inclusief poedersneeuw, maar goed hanteerbaar.
- **Telemarkski's** Deze ski's lijken op de carveski's maar zijn soepeler en hebben alleen bindingen voor het teenstuk, zodat de hiel opgetild kan worden om te lopen.
- **Langlauf-/crosscountryski's** Gemaakt voor vlak terrein. Heel dun en licht.
- **Toerski's** Afdalingsski's voor buiten de piste met een telemarkbinding voor de afdaling.
- **Schansspringen** Lange, brede ski's gemaakt om te zweven.

Het kiezen van ski's voor recreatief gebruik

Lengte

Sinds de introductie van carveski's, die zo gevormd zijn dat de voorkant en achterkant breder zijn dan het middengedeelte, is het algemeen bekend dat een kortere ski hanteerbaarder is. Maar afhankelijk van het technische niveau van de skiër zijn er wel verschillen. Beginnende recreatieve skiërs zouden moeten kiezen voor ski's die reiken tot een hoogte tussen hun schouders en voorhoofd, het liefst ongeveer tot neushoogte; enigszins gevorderden gelijk aan hun lichaamslengte; en gevorderden tot 20 cm langer dan hun lichaamslengte. Ski's voor een licht persoon moeten korter zijn, terwijl zwaardere skiërs voor iets langere ski's moeten kiezen. Langere ski's zijn geschikter om sneller te skiën en kortere ski's zijn beter voor freestyle of de buckelpiste (zie bladzijde 92), dus zelfs ervaren skiërs hebben de keus uit lange of kortere ski's, afhankelijk van de skistijl.

Vorm

De skivorm is afhankelijk van de sneeuwsoort en de skistijl. De factoren die het glijgedrag van de ski bepalen zijn de taillering en het breedteverschil tussen de punt en de achterkant van de ski (taper). Vrijwel alle afdalingsski's zijn getailleerd. Hierdoor is het makkelijker om bochten te maken met een kleinere bochtstraal. De belangrijkste overweging voor het kiezen van een afdalingsski is de mate van de uitsnijding. Een zeer getailleerde ski is geweldig voor heel snelle bochten, maar kan voor een gemiddelde skiër te agressief zijn. Met een brede ski met kleine taillering is het nemen van bochten lastiger. Kijk uit naar een middenweg, waarbij het middenstuk iets smaller is dan uw schoen en een duidelijke taillering heeft.

Kanten

De 'effectieve' kant van een ski is het deel van de kant dat in de sneeuw snijdt om grip te krijgen. Dit is meestal afhankelijk van (maar niet gelijk aan) de lengte van de ski en een kortere of langere kant heeft hetzelfde effect als een kortere of langere ski (zie boven).

Welving

De welving verdeelt het gewicht van de skiër gelijkmatig over de lengte van de ski. Simpel gezegd bepaalt hij de flexibiliteit van de ski. De welving vangt klappen op en helpt de verschillende krachten die hierop uitgeoefend worden, te beheersen. Hoeveel welving u nodig hebt, is afhankelijk van uw gewicht. Controleer de aanbevelingen van de fabrikant. Hoe zwaarder u bent, des te meer welving u nodig hebt. Maar ook uw vorderingen als skiër spelen een rol; naarmate u meer ervaring krijgt, kunt u stijvere ski's gebruiken, aangezien u meer druk uitoefent bij hogere snelheden. Een stijvere ski garandeert u ook stabiliteit bij hogere snelheden.

Andere factoren

Het gewicht van een ski kan ongelijkmatig verdeeld zijn om ervoor te zorgen dat hij meer of minder stabiel is bij hogere snelheid in een rechte lijn, of om het eenvoudiger of moeilijker te maken om bochten te nemen. Als er meer gewicht is geplaatst op de punt en de achterkant van de ski, zal hij stabieler zijn bij hoge snelheden, maar minder wendbaar. Dit noemen we 'swing weight'.

De flexibiliteit van een ski is ook van invloed op de gedragingen van de ski. Een stijvere ski is gevoeliger voor druk. Een soepelere ski is meer indifferent.

Het kiezen van skischoenen

Ondanks het feit dat schoenen zo belangrijk zijn, staan ze vaak onder aan het lijstje. Zonder passende schoenen zullen de allerbeste ski's zich gedragen als houten planken en zult u weinig plezier beleven.

Skischoenen bestaan uit een externe plastic schacht en een zachte binnenschoen. Het belangrijkste aspect waarop u moet letten is dat de

schoen goed om de voet en het been sluit, maar hij mag niet te strak zitten of knellen. Skischoenen zijn niet volledig onbuigzaam; ze maken een vrije beweging van de enkel mogelijk, zodat u uw knieën kunt buigen. Dit bevordert de voorwaartse positie, doordat u gedwongen wordt uw knieën licht te buigen, maar niet teveel (tenzij u van plan bent te racen).

De skischoen moet goed ondersteunen en tevens flexie garanderen. Net als bij de skibindingen hangt de flexie van de skischoen samen met de lengte, het gewicht en de capaciteiten van de skiër, en met de skistijl waarvoor de schoen gebruikt wordt. Als uw schoen niet goed past en knelt of uw voet te los of te strak zit, kunt u dit proberen te verhelpen met op maat gemaakte voetbedden. U kunt zelfs proberen om met een mes stukjes uit de buitenschacht te verwijderen voor een betere pasvorm.

Het kiezen van skibindingen

Bindingen bevestigen de schoenen stevig aan de ski's. Ze zijn uitgerust met een verend mechanisme dat afgesteld kan worden op verschillende weerstanden en skibewegingen, zodat uw voet onder druk loslaat. Bindingen kunnen aan de ski worden geschroefd of aan een speciale plaat. Deze platen zijn aan te bevelen, aangezien zij de trillingen van de ski dempen en dankzij de verhoging voor meer grip zorgen bij bochten en bovendien meer flexibiliteit garanderen doordat slechts een beperkt aantal bevestigingspunten vereist is.

Voor de juiste afstelling van de bindingen wordt gebruik gemaakt van een schaalverdeling ('DIN' – Deutsche Industrie Normen). Deze schaalverdeling geeft aan hoe strak de binding aan de schoen moet worden bevestigd, zodat de schoenen stevig op de ski's worden gehouden, maar loslaten bij een val. Bij een juiste afstelling van uw binding laten uw ski's

Afstelwaarden voor skibindingen

Deze waarden zijn aan de voorzichtige kant. Naarmate u vorderingen maakt, zult u een hogere waarde willen, zodat uw ski's ook blijven zitten als u veel druk uitoefent.

Gegevens van de skiër			Vooraf ingestelde waarde z hangt samen met de lengte van de schoenzool in mm						Testgegevens	
Gewicht skiër in kg	Lengte skiër in cm	Code skiër	<250	251 – 270	271 – 290	291 – 310	311 – 330	>331	Bocht MZ NM	Val naar voren MY NM
									5	18
10–13		A	0.75	0.75					8	29
14–17		B	1	1	0.75				11	40
18–21		C	1.5	1.25	1				14	52
22–25		D	1.75	1.5	1.5	1.25			17	64
26–30		E	2.25	2	1.75	1.5	1.5		20	75
31–35		F	2.75	2.5	2.25	2	1.75	1.75	23	87
36–41		G	3.5	3	2.75	2.5	2.25	2	27	102
42–48	<148	H		3.5	3	3	2.75	2.5	31	120
49–57	149–157	I		4.5	4	3.5	3.5	3	37	141
58–66	158–166	J		5.5	5	4.5	4	3.5	43	165
67–78	167–178	K		6.5	6	5.5	5	4.5	50	194
78–94	179–194	L		7.5	7	6.5	6	5.5	58	229
>95	>195	M			8.5	8	7	6.5	67	271
		N			10	9.5	8.5	8	78	320
		O			11.5	11	10	9.5	91	380
		P							105	452
										540

los bij een val en beperken het gevaar van letsel, maar schieten niet steeds los als u teveel druk uitoefent. De schaalverdeling wordt bepaald door vijf factoren: capaciteiten, lengte, gewicht, leeftijd en schoenlengte. U kunt de lijst hiernaast gebruiken, maar controleert u ook altijd de aanbeveling van de fabrikant, omdat deze kan afwijken.

Als u bindingen koopt, kies dan bindingen waarbij uw eigen afstelwaarde zich ongeveer in het midden bevindt van de schaal die de binding biedt. Let altijd op dat in relatie tot uw schoenen a) het teenstuk niet te laag zit (anders zal de neus van uw schoen knellen); b) het teenstuk niet te wijd is (in verband met heen en weer schuiven); of c) de binding niet te smal is (in verband met overmatige druk op uw schoen).

Het kiezen van stokken

Stokken zijn licht en meestal gemaakt van grafiet, aluminium of samengestelde materialen. Grafiet is het duurzaamst, aluminium zal eerder knappen onder druk. De stokken zijn meestal recht en standaard uitgevoerd: punt, krans, stok en handgreep. Het enige waarop u moet letten bij de aanschaf van stokken voor recreatieve afdalingsski's is uw lengte. Een algemene regel voor het bepalen van de lengte van de stokken, is de stokken iets voor u te plaatsen en een soepele skihouding aan te nemen. In deze positie moet uw elleboog een rechte hoek vormen als de stok op de grond rust, en uw onderarm moet evenwijdig aan de grond lopen. De juiste lengte van de stokken is belangrijk, aangezien te lange of te korte stokken uw houding zullen beïnvloeden en dus ook uw evenwicht.

Gebruik van uw schoenen, ski's en stokken

Schoenen

Maak uw schoenen bij het aantrekken zo ver mogelijk open. Schuif uw voet niet in de schoen alsof u tandpasta in de tube probeert terug te duwen. Laat om te lopen de sluithendels los (tenzij de schoenen zijn voorzien van een speciale 'loopstand'). Op de piste stelt u de sluithendels zo strak mogelijk in zonder de bloedtoevoer af te snijden. Begin met de middelste hendel om uw enkel op de juiste plaats te brengen. Maak vervolgens de bovenste of de onderste vast en controleer vervolgens of de mid-

delste bijgesteld moet worden. Uw hiel mag niet omhoogkomen als u uw knieën buigt. Mocht dit het geval zijn, dan passen uw schoenen niet goed en zult u minder controle hebben.

Ski's

Let erop dat uw ski's vlak liggen bij het aandoen. Plaats de ski's op een helling dwars op de vallijn. Op een steile helling schuift u de bovenste punt in de sneeuw om de ski's vlak te leggen. Zorg ervoor dat er geen sneeuw in het bindingsmechanisme of aan de onderkant van uw schoenen zit. Verwijder achtergebleven sneeuw met uw skistok of trap op de binding en schraap vervolgens de sneeuw weg met uw schoen.

De binding heeft slechts twee posities: open en dicht. Het hielstuk moet omhoog staan als u op de ski stapt. Steek uw voet in het teenstuk en duw uw hiel naar beneden in het hielstuk, zodat hij wordt vastgeklemd.

Stokken

Steek uw handen helemaal door de lussen en houd zowel de handgreep als de lus vast. Hierdoor verliest u de stokken minder snel als u om welke reden dan ook er een loslaat.

Opbouw van een snowboard

1 Bindingen
2 High back (steun voor onderbeen)
3 Tail (achterkant)
4 Stomp pad
5 Tenenkant
6 Hakkenkant
7 Nose (punt)

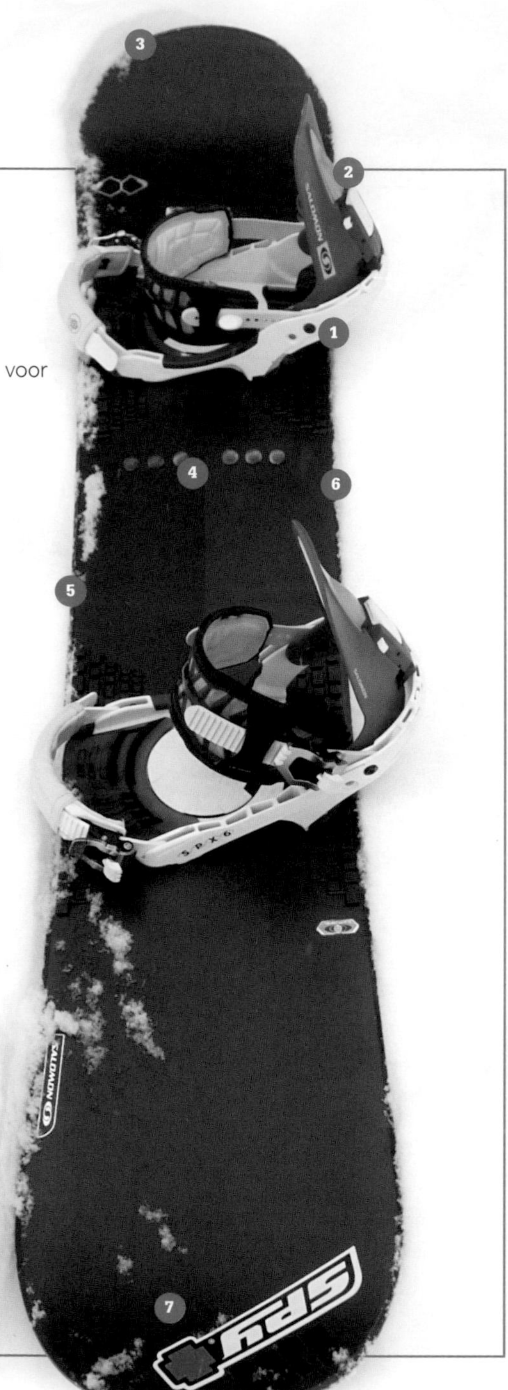

Boards voor specifieke doelen

- **Freestyle** Identieke vorm van voor- en achterkant (twin tip), flexibel en korter voor snelle bochten, makkelijke rotaties en achteruit (fakie) glijden.
- **Freeride** Identieke vorm van voor- en achterkant (twin tip), maar stijver voor alle sneeuwcondities en freestyle.
- **Slalom/carven** Langere en smallere boards, gebruikt met hard boots voor hoge snelheden en wendbaarheid.

Het kiezen van een board

Tegenwoordig kiezen veel mensen boards op basis van grafische kenmerken in plaats van technische aspecten. Toch vormen technische aspecten een even belangrijke factor als bij ski's en de factoren die het glijgedrag beïnvloeden zijn veelal dezelfde. Ook de constructie lijkt erg op die van ski's en glasfiber, polyethyleen en hout behoren ook hier tot de meest gebruikte materialen. Hoewel boards per fabrikant kunnen verschillen, gelden de volgende richtlijnen voor alle typen:

Lengte

De lengte van het board hangt voornamelijk af van uw lichaamslengte, maar u dient ook rekening te houden met uw gewicht, capaciteiten en het doeleinde waarvoor u het wilt gebruiken. Het board moet tussen uw voorhoofd en schouder reiken, waarbij voor een beginner kinhoogte ideaal is, neushoogte voor enigszins gevorderden en voorhoofdhoogte voor gevorderden. Freestyleboards zijn korter, zodat u makkelijker kunt jibben, terwijl slalomboards langer zijn voor meer stabiliteit en hogere snelheden.

Vorm

Er zijn drie verschillende boardvormen – directionele (carve/slalom), directionele twin tips (freeride) en twin tips (freestyle).

- **Directionele boards** lijken op een grote ski, met een opwaartse buiging van de nose en een vlakke tail. Op hun glijgedrag zijn dezelfde factoren van invloed als voor ski's (zie boven).
- **Directionele twin-tipboards** zijn zwaarder en asymmetrisch gevormd, omdat de boarder hoofdzakelijk in één richting glijdt, maar hij kan ook fakie (achteruit) glijden, terwijl de tail evenals de nose uitsteekt boven de sneeuw.
- **Twin-tipboards** (freestyle) zijn symmetrisch van vorm en flexie (buiging), zodat ze in beide richtingen kunnen glijden.

Evenals ski's zijn boards voorzien van een taillering voor het carven en het maken van bochten. Terwijl freestyleboards zowel een symmetrische horizontale als verticale as hebben, hebben freerideboards een progressieve taillering, dat wil zeggen dat ze symmetrisch zijn als ze over de lengte van het board worden gevouwen, maar asymmetrisch als ze horizontaal worden gevouwen – de grotere radius zorgt voor een gemakkelijker inzetten van een bocht terwijl de achterste kleinere radius het board uit elke draai laat versnellen.

De taillering van het board bepaalt de radius van de bochten, dus hoe meer taillering, des te korter de draaicirkel. Hoewel u voor recreatief gebruik het best kunt kiezen voor een board met een goede taillering, zal een beginner moeite hebben met de beheersing van een zeer getailleerd board.

De taillering bepaalt hoe snel u van kant kunt wisselen en dus hoe snel u kunt draaien. In tegenstelling echter tot ski's is de taillering ook afhankelijk van uw schoenmaat, omdat uw voeten dwars op het board staan. Als de voeten achter elkaar en vrijwel geheel naar voren gericht zijn, zoals bij slalomboards, kan het board veel smaller zijn.

Kanten

Deze stalen strips aan de kanten van een board zijn tamelijk standaard. De effectieve kantenlengte is het gedeelte van de kant dat in de sneeuw grijpt. Een langere effectieve kantenlengte betekent meer grip, maar is minder wendbaar. Voor een beginner is dan ook een board met een kortere effectieve kantenlengte en een korter board geschikter. De effectieve kantenlengte van een slalomboard begint aan de tenenkant hoger op het board dan aan de hakkenkant, als tegenhanger voor het feit dat de tenen hoger op het board druk uitoefenen.

Welving

De welving zorgt voor de 'lift' van het board, die u voelt bij de bochten en het jibben, precies zoals de welving bij ski's (zie bladzijde 31). Een board met weinig of geen welving zal minder snel reageren.

Andere factoren

Net als bij ski's kunnen swing weight en flexibiliteit uw keuze helpen bepalen. Meer swing weight (meer gewicht in nose en tail) verhoogt uw evenwicht en minder swing weight (meer gewicht in het midden van het board) verlaagt uw stabiliteit.

Minder flexie zorgt voor een stabielere ligging bij hoge snelheden en maakt het board gewilliger bij het draaien en het uitoefenen van kracht. Een hogere flexie maakt het inzetten van bochten gemakkelijker en zorgt voor een vergevingsgezinder glijden.

De 'stomp pad' is een gedeelte met ruwer materiaal tussen de bindingen. Hier kunt u uw achterste voet op plaatsen als hij niet vastgegespt is in de bindingen, zodat hij niet wegglijdt op de gladde bovenlaag van uw board. De 'stomp pad' vormt geen bepalende factor bij de aanschaf van een board, aangezien hij naderhand wordt toegevoegd, maar het is een wezenlijk bestanddeel van uw boarduitrusting.

Het kiezen van snowboardschoenen

De schoenen zijn een van de punten waarin snowboarden het wint van skiën. Recreatieve snowboardschoenen zijn soepel en u hoeft uw knieën niet te verdraaien om er enigszins normaal uit te zien bij het lopen. Toch worden de schoenen steeds stugger voor een betere beheersing van uw board alsmede voor de nodige ondersteuning. Let er bij de aanschaf op dat uw hiel niet omhoog komt als de schoenen zijn vastgegespt, en neem de meest stugge schoenen, waarin u nog voldoende bewegingsvrijheid hebt.

Als u nieuwe schoenen koopt, moeten ze iets te strak zitten, omdat ze na een aantal weken soepeler worden. Hoe meer ervaren en/of zwaarder u bent, des te stugger uw schoenen mogen zijn. Maar wilt u voornamelijk freestylen, kies dan voor een schoen met meer flexie. Streeft u naar snelheid, neem dan een stugge schoen. Koop bij voorkeur schoenen, die voorzien zijn van een mechanisme om de voorwaartse positie in te stellen, zodat u gedwongen wordt uw knieën te buigen als uw voeten plat op de grond staan.

- **Step-inschoenen** zijn speciaal ontworpen voor step-inbindingen en zijn stugger dan andere schoenen. Ze kunnen niet gebruikt worden in combinatie met andere bindingen. Let op dat ze voldoende steun bieden en dat uw voet niet naar voren, naar achter of opzij kan schuiven. Door het schuiven verliest u de controle en beheersing over het board.
- **Hardschoenen** worden gebruikt voor carveboards bij disciplines als slalom, reuzenslalom en snowboardcross. Dit kunnen skischoenen of een afgeleide hiervan zijn en ze zijn zowel in de breedte als in de lengte elastischer voor de verschillende bewegingen bij het boarden.

Het kiezen van snowboardbindingen

Er zijn drie typen snowboardbindingen: standaard, step-in en plaatbinding.

- **Standaardbindingen** worden bij het recreatieve boarden het meest gebruikt. Ze bestaan uit een basis, een highback en meestal twee sluithendels. De hoge achterkant zorgt voor meer ondersteuning, en meer voorwaartse positie zorgt voor een agressievere glijstijl (highbacks hebben meestal een instelling voor de voorwaartse positie).

- **Step-inbindingen** zijn voor zachte schoenen en zijn populair bij beginners, die eindeloos bezig zijn met het af- en onderbinden van hun board en geen eeuwigheid willen prutsen met vervelende hendels. Deze bindingen hebben een basis en soms een highback voor extra ondersteuning. Het nadeel van step-inbindingen is dat ze alleen geschikt zijn voor één type schoen en minder handig zijn op een steile helling of in diepe sneeuw.
- **Plaatbindingen** worden gebruikt in combinatie met hardschoenen en zijn over het algemeen niet geschikt voor beginners of recreatief gebruik. Dit type binding heeft een basis en een voor- en achterbeugel waarin de hardschoenen worden gefixeerd.

De montage van de bindingen

Vaak wordt de montage van bindingen niet goed begrepen, maar in feite is het relatief eenvoudig. De meeste bindingen voor recreatief gebruik hebben waarschijnlijk drie of vier schroeven waarmee ze op de basis worden bevestigd, of een andere vorm van verstelbare bevestiging.

- Plaats de bindingen op schouderbreedte van elkaar (of technisch gesproken op een afstand van 30 % van uw lengte) en voor freestyle iets verder uit elkaar om de swing weight te verkleinen.
- Plaats de bindingen in het midden van de taillering van uw board of iets meer naar achter voor poedersneeuw en freeriden.
- Voor recreatief boarden wordt de hoekstand van de bindingen bepaald door de manier waarop u uw knieën buigt om onnodige inspanning te voorkomen. De hoek moet ongeveer 30° voor uw rechtervoet en -30° voor uw linkervoet bedragen, waarbij nul zich loodrecht op de lengtelijn van het board bevindt.
- Voor carveboards staan beide voeten in dezelfde hoek en iets verder naar achter, en bevinden ze zich iets dichter bij elkaar dan voor recreatief boarden.

Het aantrekken van schoenen en bindingen

Schoenen

Bind uw schoenen, met veters of gespen, zo stevig dicht dat u uw vinger niet meer tussen de veters/gespen en de schoen kunt steken. Een bekende fout is dat de schoenen te losjes zitten en de bindingen ter compensatie stevig worden aangetrokken met als gevolg dat voeten pijn gaan doen, verkrampen en koud worden. Maak ze zo stevig mogelijk vast zonder de bloedtoevoer af te sluiten en maak ze elke keer als u pauzeert even los.

Bindingen

Tegen de tijd dat u boven op de berg staat, moet u besloten hebben of u goofy of regular bent, en de bindingen dienovereenkomstig hebben gemonteerd. Het besluit welke voet u voor plaatst, is niet zo belangrijk, omdat u uiteindelijk toch met beide voeten naar voren zult glijden (niet tegelijkertijd natuurlijk). Als u ervaring hebt met verwante sporten zoals skaten of surfen, neemt u dezelfde voet die u voor deze sporten voor plaatst. U kunt ook iemand vragen om u van achter een duw te geven terwijl u er niet op bedacht bent. De voet waarop u valt, plaatst u vervolgens naar voren.

Als u eenmaal hebt besloten of u goofy of regular bent, BLIJF dan bij dit besluit. Beginnelingen neigen ertoe te denken dat ze de verkeerde beslissing hebben genomen, omdat ze vaker naar achteren dan naar voren glijden. Dit heeft niets te maken met goofy of regular, maar komt omdat het gewicht door angst op de achterste voet wordt geplaatst en ze naar achteren glijden. In ieder geval maakt het voor een dag niet uit of uw board verkeerd is gemonteerd, want u gaat eerst sideslippen (zie bladzijde 82).

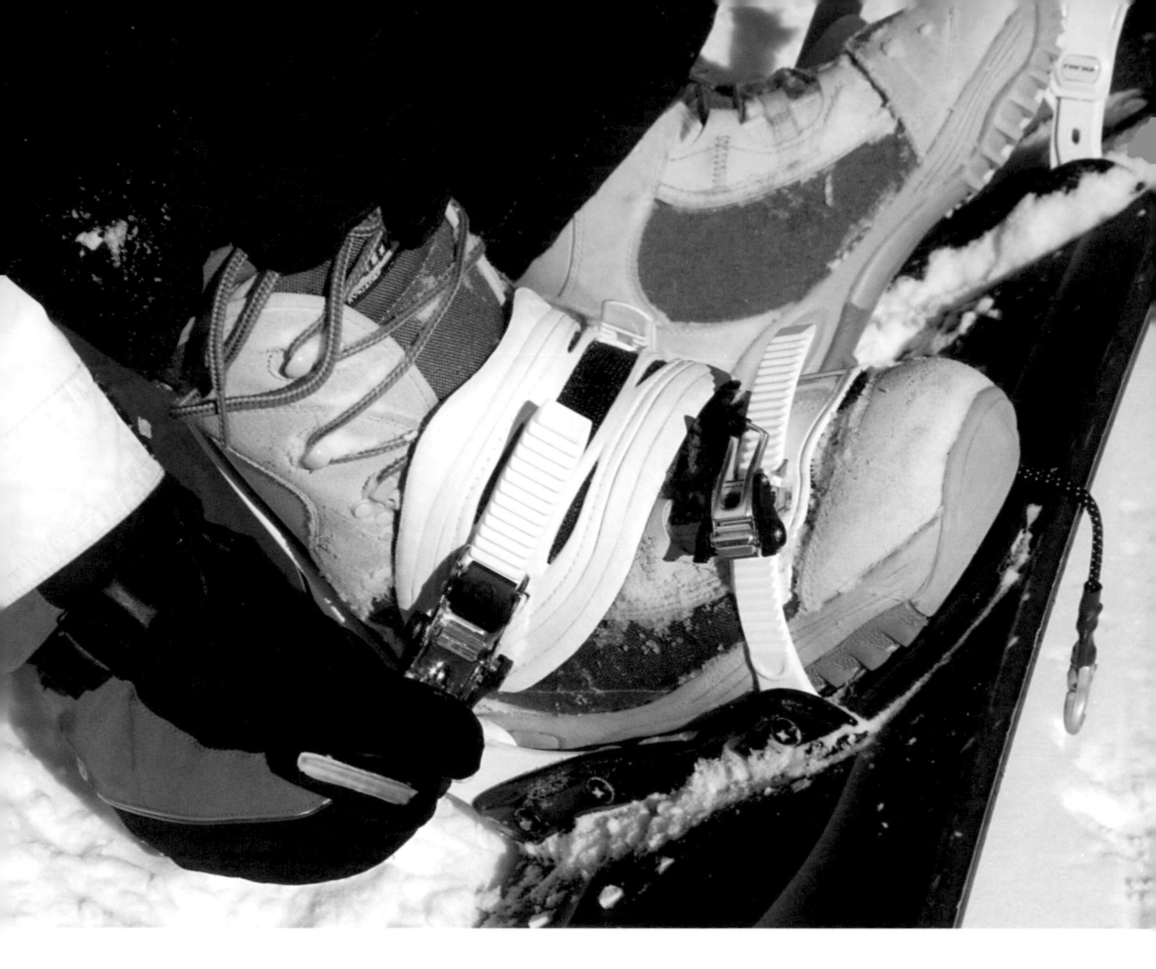

Het bevestigen van bindingen gebeurt meestal op een helling en niet op een vlak terrein, hetgeen extra lastig is omdat boards in tegenstelling tot ski's geen remmen hebben. Laat u het board los, dan gaat het ervandoor en kan het veel schade veroorzaken. Het is over het algemeen eenvoudiger uw board onder te binden als u zit, met name op een helling. Begin met uw voorste voet. Steek eerst uw voorste voet in de binding en sluit de enkelbinding, zodat de voet naar achter in de binding wordt getrokken. Maak vervolgens het teenstuk vast. Herhaal hetzelfde met de achterste voet, waarbij u blijft zitten of gaat staan. Voor step-inmodellen moet u erop letten dat er geen sneeuw op de basis ligt. Begin weer met uw voorste voet en houd het board zo vlak mogelijk, en eindig met uw achterste voet.

Huren of kopen?

Uw besluit om een uitrusting te huren of te kopen hangt af van de volgende punten: prijs, comfort en prestatie, mode en uw eigen ontwikkeling.

- **Prijs** Over het algemeen zal het goedkoper zijn een eigen uitrusting aan te schaffen als u vaker dan een paar weken per jaar in de bergen door wilt brengen. Maar huren betekent dat u geen onderhoudskosten hebt; u kunt uw uitrusting aan het einde van uw vakantie terugbrengen zonder dat u zich druk hoeft te maken om het waxen of om de beschadigingen. Bovendien hebt u geen transportkosten.
- **Comfort en prestatie** Over het algemeen brengt uw eigen uitrusting het er op beide punten beter af en zal er beter voor worden gezorgd. Het is aannemelijk dat een eigen uitrusting meer comfort biedt. Huurschoenen zijn al door een honderdtal voeten gedragen en huurski's of -boards kunnen aan het eind van hun leven zijn. Maar u kunt altijd iets meer betalen om de laatste modellen te huren.
- **Mode** Als u over voldoende geld beschikt is dat prettig, maar geef geen geld uit aan blitse ski's of bedrukte boards voordat u schoenen hebt aangeschaft. De schoenen vormen het belangrijkste onderdeel van de uitrusting. U kunt ook de modernste materialen huren, maar de keuze is beperkter. Als u niet vaak skiet, geeft huren u de mogelijkheid om op de hoogte te blijven van de nieuwste technologie.
- **Uw ontwikkeling** De uitrusting verschilt enorm van merk tot merk en van model tot model. Naarmate u vorderingen maakt, zult u een voorkeur ontwikkelen voor een bepaald paar ski's of een bepaald board. Dit is moeilijk bij het huren, omdat u vaak van uitrusting verandert en deze zich vaak niet gedraagt als uw eigen materialen, hetgeen uw ontwikkeling kan belemmeren.

Huur als u zelden skiet of boardt, aangezien dit goedkoper zal zijn. Koop als u vaker skiet of boardt, of als u een hoog niveau hebt.

Tweedehands uitrusting

Als u tweedehands ski's of een tweedehands board koopt, moet u ervoor zorgen dat ze nog wel voldoende welving hebben. Controleer ook of de buitenlaag van de ski's of het board nergens beschadigd is, aangezien zo water in de kern kan dringen (met andere woorden let op diepe gaten of verkleuringen langs de randen). Kleine beschadigingen van het oppervlak kunnen makkelijk en goedkoop gerepareerd worden, zolang ze zich niet langs de randen bevinden. Een gebobbeld belag of vormgebreken kunnen echter niet hersteld worden. Let op dat de ski's of het board voldoende belag hebben en ze niet bijna kaal zijn.

Stokken kunt u gerust tweedehands kopen, zolang ze de juiste lengte hebben en ze zo licht mogelijk zijn.

Koop NOOIT gebruikte schoenen. Ze vormen het belangrijkste onderdeel van uw uitrusting en ze moeten goed om úw voet passen. Schoenen worden na verloop van tijd minder stevig en waterdicht, wat zowel nadelig is voor uw plezier als voor uw vorderingen.

Let op Als u gaat huren, kunt u vaak ski's passen en reserveren voordat u vertrekt en deze zullen voor u klaarstaan bij aankomst in het skioord. Huurski's zullen getailleerd zijn en bij huurboards gaat het om twin tips met soepele schoenen, tenzij u om iets anders vraagt.

Vergeet niet, als u een uitrusting koopt, om ook een ski/boardtas aan te schaffen om deze in te vervoeren. Zo blijven uw spullen in betere staat en bovendien nemen vliegtuigmaatschappijen ze vaak niet mee als ze niet verpakt zijn. Houd er rekening mee dat goedkope vliegtuigmaatschappijen u vaak laten bijbetalen voor het vervoeren van uw uitrusting.

Tips voor het dragen van ski's en boards

Het correct dragen van uw uitrusting is een belangrijke les voor wie snel het stadium van beginneling voorbij wil streven. Zoiets simpels als het te ver op de schouder dragen van uw ski's geeft u het uiterlijk van iemand die evenveel weet van skiën als de gemiddelde ski-instructeur van hogere wiskunde.

Ski's en stokken

Houd de stokken samen in één hand vast. Leg de ski's tegen elkaar zodat de stoppers op elkaar klemmen. Nadat u gekeken hebt of er niemand bij u in de buurt staat, zwaait u de ski's op uw schouder met de bindingen net achter u. Hierdoor bevindt zich voldoende gewicht achter uw schouder en kunt u de ski's stilhouden door ze met uw arm in evenwicht te houden. Als u in de rij staat, levert deze methode vanzelfsprekend problemen op en houdt u de ski's rechtop onder de bindingen vast. Houd uw stokken eveneens rechtop en kijk even achterom voordat u enthousiast gaat vertellen over uw laatste hoge sprong die niemand heeft gezien, tenzij u met het uiteinde van uw skistok het oog van een medeskiër wilt uitprikken.

Board

Een board is eenvoudiger te dragen dan ski's en levert minder gevaar op voor anderen. Maar het dragen van een board op uw schouder of rug ziet er gewoon niet uit. De eenvoudigste manier om een board te dragen is met een hand tussen de bindingen en met de bindingen naar buiten gekeerd. Zo rust het board vanzelf tegen uw arm en niet tegen uw lichaam. Leg uw board altijd met de zijde van de bindingen in de sneeuw, aangezien het geen remmen heeft en op een helling zal wegglijden als iemand het aanstoot.

Onderhoud van ski's en boards

Boards en ski's drogen uit en beschadigen als ze niet juist worden onderhouden. Een goed onderhoud van ski's en boards bestaat uit waxen, vijlen, slijpen en reparaties van belag. Het mooist zou zijn als een vakman u uit zou kunnen leggen hoe u uw uitrusting moet waxen en onderhouden. Als u niet weet wat u doet, kunt u beschadigingen veroorzaken.

Waxen

Idealiter zou u uw board/ski's elke dag moeten waxen, zelfs met de nieuwere materialen als polyethyleenplastic. Maar in het gunstigste geval zullen de meeste van ons het eens in de twee weken doen of wekelijks bij natte sneeuw. Maar als u weet dat u uw board een aantal maanden niet zult gebruiken, kunt u een dikke laag wax aanbrengen die u pas verwijdert voor gebruik.

Er zijn drie typen wax, waarvan hete wax het beste is en spray of wrijfbare wax slechts nu en dan uit gemak wordt gebruikt. Het aanbrengen van hete wax zorgt voor een waterdichte laag van het belag, doordat de vezels zich door de warmte oprichten en de poriën zich openen, zodat de wax kan doordringen en verharden.

- Maak eerst het belag schoon met een schone doek en een oplosmiddel en maak het goed droog (anders kan de wax niet goed intrekken). Beschadigde plekken kunt u met P-Tex (een soort plastic dat gemakkelijk verkrijgbaar is bij elke skiwinkel) herstellen (zie onder).
- Kies een wax die geschikt is voor de sneeuw- en luchttemperaturen (kijk op de verpakking) of een universele wax als u niet op de hoogte bent van de omstandigheden ter plaatse. Smelt de wax met een strijkijzer op het belag van de ski of board. Let op dat het strijkijzer niet te heet is, anders verschroeit het belag. (U kunt dit controleren door te kijken hoe snel de wax smelt. Als de wax onophoudelijk druppelt, dan is het strijkijzer te heet. Een paar druppels per seconde is de bedoeling en dit bereikt u meestal bij een temperatuur van 115°).
- Strijk de wax op de ski/board door het strijkijzer voortdurend heen en weer te bewegen. Als de wax niet meteen verhardt op het belag, heeft de ski/board de optimale temperatuur om de wax te absorberen.
- Laat de ski/board bij voorkeur 8 uur liggen.
- Schraap de overtollige wax met een zacht plastic schraapmes van het belag. Houd het schraapmes schuin, zodat u de wax niet uit de poriën trekt en de vezels beschadigt.
- Wrijf het belag van de ski/board tot slot op met een nylon borstel. Een te glad belag kan namelijk 'happen' in de sneeuw en uw snelheid beperken.

Kanten

Het verwijderen van kleine krasjes en het slijpen van de kanten verbetert de grip van het board of de ski's in de sneeuw. Maar te scherpe kanten zullen zich vastgrijpen in de sneeuw en slecht slijpen levert dan ook hetzelfde effect op als helemaal niet slijpen. Vijl uw ski's/board elke dag bij als de sneeuw erg ijzig is en anders elke week.

De kant heeft twee staalkanten die ongeveer in een rechte hoek bij elkaar komen. Begin met het verwijderen van oneffenheden uit de kanten met een polijst- of braamsteen.

- Begin met de staalkant aan de zijkant en vijl drie of vier keer bij in de lengte van het board (in de juiste richting!) tot het oppervlak glad is.
- Herhaal dit bij de belagzijde. Er is maar een beperkte hoeveelheid metaal, dus vijl niet meer weg dan noodzakelijk.
- Schuin de kanten 1 graad af langs de hele lengte van de kant. De kanten moeten ook afgestompt worden aan de punt en achterkant, waar de kanten de sneeuw raken, omdat de ski of board zich anders zal vastgrijpen in bochten of te snel zal draaien.

Reparaties van het belag

Mochten er krassen of beschadigingen van betekenis zijn, dan moet u deze dezelfde dag nog opvullen met P-Tex :

- Smelt een stuk P-Tex totdat de vlam meer blauw dan geel is (gebruik als alternatief een stuk plastic – bijvoorbeeld het plastic dat zes blikjes bier bij elkaar houdt).
- Druppel de gesmolten P-Tex in het gat (deze moet schoon zijn – gebruik een oplosmiddel en doek) totdat het gevuld is.
- Laat het afkoelen en schraap vervolgens het overtollige plastic weg
- Maak het oppervlak tot slot met een polijststeen glad.

Slijpen

Dit is een soort facelift voor het belag en moet om de tien weken door een vakman worden uitgevoerd. Door het slijpen wordt een laagje van het belag verwijderd om het weer in optimale conditie te brengen. Dus ga er zorgvuldig mee om, want ook het belag raakt een keertje op.

3 Training & conditie

Hoewel u meestal alleen tijdens een vakantie skiet, zou u skiën niet slechts als vakantieactiviteit moeten beschouwen – het is een veeleisende sport. Behalve als u elke dag 7 uur fysieke arbeid verricht als onderdeel van uw normale routine, zult u zich tijdens uw skivakantie aanzienlijk meer inspannen en veel van uw lichaam vergen. Bovendien is de lucht in de bergen ijler en kost elke oefening meer moeite. Dus als uw lichaam aan niet veel meer gewend is dan zo nu en dan een sprintje naar de bus, zult u uw lichaam eerst moeten klaarstomen voor de skivakantie. Een slimme manier om u voor te bereiden zijn speciale skioefeningen en algemene cardiofitness.

Fitnessprogramma

Het volgende fitnessprogramma moet u beschouwen als algemene richtlijn. Individuele sterke of zwakke punten zouden door een dokter moeten worden beoordeeld, zeker als u ouder bent dan 35. Als u een aandoening hebt of een hartkwaal, hoge bloeddruk, problemen met de ademhaling of bot-, spier-, gewrichtsband- of peesklachten – of als u overgewicht hebt of passief bent – informeer dan bij uw dokter naar het risico van skiën. Als u gezond bent en relatief actief kan een fitnessinstructeur u begeleiden en een programma opstellen, rekening houdend met mogelijke zwakke punten. Dit helpt eventuele blessures voorkomen.

De hieronder beschreven oefeningen zijn geselecteerd op grond van hun overeenkomsten met de bewegingen die bij skiën en boarden worden uitgevoerd. Ze stimuleren de opbouw en versteviging van de juiste spieren en vergroten het cardiopulmonaal vermogen. Deze maken samen met elasticiteit uw algehele conditiepeil uit. Het beste is als u uw trainingsprogramma afwisselt.

Cardiovasculaire fitness

2 maanden voor het skiën

NB inclusief 5-10 minuten warming-up en warming-down voor en na elke trainingssessie. De warming-up/warming-down moet bestaan uit eenvoudige oefeningen (lopen/joggen/armcirkels) en strekoefeningen.

- 1 uur zwemmen per week (voor het uithoudingsvermogen, tevens goede spieroefening).
- 1 uur fietsen/skeeleren per week (voor sterke benen en uithoudingsvermogen).
- 1 uur roeien per week (voor cardiovasculaire conditie en sterke arm-, been- en rompspieren).

1 maand voor het skiën

5-10 minuten warming-up en warming-down voor en na elke trainingssessie

- 1 ½ uur zwemmen per week
- 1 ½ uur fietsen/skeeleren per week
- 1 ½ uur roeien per week

Als u de mogelijkheid hebt, kunt u tevens een paar uur per week in de buurt gaan skiën of boarden.

Probeer de reserves aan glycogeen, adenosinetrifosfaat en creatinefosfaat niet uit te putten door u vlak voor uw vakantie in te spannen.

Strekoefeningen voor elastische spieren, kracht en uithoudingsvermogen

In aanvulling op de routineoefeningen, die beschreven staan op bladzijde 54-55, zijn korte maar gerichte oefeningen ter vergroting van de elasticiteit, kracht en het uithoudingsvermogen van specifieke spiergroepen zinnig. Deze oefeningen kunt u ook tijdens uw vakantie doen als onderdeel van uw warming-up of -down. Doet u eerst enkele aerobicoefeningen voordat u met de strekoefeningen begint, zodat uw spieren warm zijn en niet scheuren.

De oefeningen voor het uithoudingsvermogen van de spieren en krachttraining lijken op elkaar maar hebben een ander doel. Krachttraining vergroot de omvang van de spieren voor een grotere belasting, terwijl bij het uithoudingsvermogen niet zo zeer de omvang wordt vergroot maar het vermogen van de spiergroepen om dezelfde bewegingen te herhalen.

1 Strekken van vierhoofdige dijspier (quadriceps) voor elasticiteit Houd u eventueel vast en ga op één voet staan. Houd een been recht en til de andere voet op, grijp hem vast met uw vrije hand. Draai uw heupen naar voren en duw het gebogen been naar achter, zodat beide dijbenen zich op een lijn bevinden. Houd deze positie 30 seconden vast en ontspan. Wissel van been.

2 Strekken van kuitspier voor elasticiteit Plaats een voet voor de ander, buig het voorste been en strek uw achterste been. Houd beide

voeten plat op de grond en naar voren gericht. Span uw achterste been aan en laat uw heupen iets zakken. Houd deze positie 30 seconden vast en ontspan. Herhaal deze oefening 4 maal voor u van been wisselt.

3 **Strekken van adductoren voor elasticiteit** Ga zitten en houd uw rug recht of ga op uw rug liggen. Plaats uw voetzolen tegen elkaar en laat uw knieën zakken tot het ongemakkelijk voelt. Houd deze positie 30 seconden vast voordat u uw knieën weer opricht. Herhaal 4 maal.

4 **Hurken voor kracht en uithoudingsvermogen** Plaats uw voeten uit elkaar op schouderbreedte. Houd ze plat op de grond en houd uw rug recht, verlaag uw zwaartepunt door uw knieën te buigen. Zodra uw dijbenen evenwijdig aan de grond zijn, richt u zich weer op. Herhaal 10 maal. Ontspan en herhaal de oefening 4 maal. Om uithoudingsvermogen op te bouwen verhoogt u het aantal herhalingen. Om kracht op te bouwen doet u de oefening met een lange halter dwars op uw schouders of gebruikt u één been tegelijk.

5 **De plank voor kracht en uithoudingsvermogen** Ga op een stevige ondergrond liggen en richt u op door op uw onderarmen en tenen te steunen. Let op dat u uw rug en benen recht houdt. Til uw zitvlak niet op en laat het niet zakken. Houd deze positie 10 seconden vast. Ontspan en herhaal 4 maal. Als u aan deze positie gewend bent, kunt u hem langer vasthouden en/of de oefening vaker herhalen.

Tijdens de skivakantie

Aan het begin van de dag. Een geschikte warming-up is beslist noodzakelijk voordat u aan uw eerste afdaling begint. De warming-up bestaat uit twee fasen. In de eerste fase wordt de bloedsomloop gestimuleerd en in de tweede fase worden specifieke spiergroepen gestrekt. Door 's ochtends vlot naar de kabelbaan te lopen, ter plaatse wat te joggen of enkele hurkoefeningen te doen wordt de bloedsomloop gestimuleerd. Concentreer u bij het strekken op de volgende spiergroepen (let op dat u niet afkoelt, anders is de warming-up zinloos): dijspieren, bilspieren en spieren van het bovenlichaam. Mocht u twijfelen, dan kunt u de ski- of boardbewegingen nabootsen, zodat u weet welke spieren u moet strekken. Boarders moeten extra aandacht besteden aan de binnenspieren van de dij (adductoren), nekspieren (buigers en strekkers) en onderarmspieren (polsbuiger).

De spieren die de volgende ochtend pijnlijk aanvoelen, verdienen in de toekomst meer aandacht.

Gedurende de dag Als u pauzeert worden uw spieren stijver. Wandel daarom even rond als u langer pauzeert dan 20 minuten en strek uw spieren voorzichtig tijdens een korte wandeling, voordat u verder gaat.

Aan het einde van de dag Strek aan het einde van de dag opnieuw uw spieren en maak een korte wandeling, voordat u zich gaat ontspannen. Het beste is om ze 's avonds na een warme douche te strekken of ga zwemmen, mocht uw accommodatie over deze luxe beschikken. Draai bij het douchen afwisselend de koude en warme kraan open. Hierdoor voelen vermoeide spieren minder branderig en wordt minder melkzuur aangemaakt, hetgeen tot pijnlijke, stijve spieren leidt.

Voeding

Als u niet juist eet, zult u zich minder goed vermaken op de piste. Zowel een overmaat als een tekort aan voedsel heeft een ongunstig effect. Als u vlak voor het skiën eet, zult u trager zijn. Dat komt omdat uw spieren en spijsverteringsorgaan wedijveren om energie. Maar sla ook geen maaltijden over, omdat de lage bloedsuikerspiegel ervoor zal zorgen dat u zich slap en duizelig voelt en uw coördinatie afneemt.

- **Koolhydraten** vormen de belangrijkste energiebron voor het lichaam en zijn van groot belang voor activiteiten als skiën. Een overschot aan koolhydraten wordt opgeslagen als glycogeen en wordt door de spieren gebruikt als energiebron. Ofschoon u natuurlijk zorgt voor een uitgebalanceerde voeding met alle noodzakelijke voedingsstoffen voor uw lichaam, moet u tijdens het skiën extra aandacht besteden aan koolhydraten. Eet kort voor het skiën geen hoogvezelige koolhydraten zoals bonen, linzen en sommige vruchten, aangezien deze krampen of diarree kunnen veroorzaken.
- **Vetten** vormen niet de beste energiebron, maar uw lichaam heeft ze wel nodig. Het eten van veel vetten vlak voor het skiën levert een onprettig gevoel in de maag op. Eet dus niet te vet en kies het juiste moment.
- **Eiwitten** zijn nodig voor het herstel van uw spieren na het sporten.
- **Water** is van groot belang bij elke lichamelijke inspanning. Probeer tijdens zware inspanning om de 20 minuten te drinken en drink tenminste 8 glazen per dag. Als vuistregel geldt dat u voor elk uur training 1 liter water moet drinken. Als u langere tijd sport, is het niet eenvoudig de juiste balans te behouden om niet uit te drogen. Daarom zijn sportdrankjes een goed alternatief, omdat ze tekorten sneller aanvullen dan water.

Welk voedsel en wanneer?

Het volgende is slechts een algemene richtlijn. Iedereen heeft verschillende behoeften. Raadpleeg daarom een voedingsdeskundige om uit te vinden wat voor u het beste is.

Ontbijt*

- Veel koolhydraten zoals graanproducten, brood en fruit voor energie
- Wat eiwitten en vetten om suikeropname te vertragen
- Tenminste een glas water – geen vochtafdrijvende dranken als thee en koffie

Halverwege de ochtend

- Koolhydraten zoals fruit of brood voor energie. Als er geen keus is, zijn chocola of een koolzuurhoudend drankje als suikerbron beter dan helemaal niet eten, als u energie nodig hebt
- Water

Lunch

Nogmaals: u hoeft geen zware maaltijd te nemen, maar sla de lunch ook niet over – u hebt behoefte aan energie.

- Koolhydraten zoals pasta, groenten
- Wat eiwitten en vetten zoals vlees en noten
- Water

Halverwege de middag

Houd uw energie 's middags op peil met:

- Koolhydraten
- Water

Avondeten

Probeer, ofschoon niet altijd even praktisch, kort na het skiën een uitgebalanceerd avondmaal te nemen. Dit helpt de spieren bij het herstel.

- Koolhydraten zoals groenten, pasta en rijst
- Eiwitten zoals vis, vlees, bonen en linzen
- Vetten zoals noten, vette vis of oliën

**NB: Eet zo vroeg mogelijk. Eet u vlak voor het skiën (binnen een uur), neem dan een kleiner ontbijt.*

Blessures

De meeste blessures zijn van korte duur en zijn na een aantal weken of zelfs dagen vergeten. Een klein percentage is echter ernstig. Hier volgen typische ski- of boardgerelateerde blessures met adviezen voor de behandeling. Deze adviezen mag u niet zien als een vervanging voor een bezoek aan de dokter. Om het zekere voor het onzekere te nemen moet u altijd medische hulp inschakelen als u denkt dat u een van de hieronder beschreven symptomen hebt.

Hersenschudding

Hoofdletsel komt vooral voor bij snowboarders, gezien de wijze waarop ze vallen. Terwijl skiërs opzij vallen, vallen snowboarders vaak naar achter en slaan met hun hoofd tegen de grond. Een hersenschudding ontstaat als het hoofd hard geraakt wordt en vaak (niet altijd) heeft dit bewusteloosheid tot gevolg. De gewonde kan zich ziek en duizelig voelen en een wazig zicht, geheugenverlies en stuiptrekkingen vertonen. Als een pupil groter is dan de ander, verlammingen optreden of de gewonde in slaap valt en niet gewekt kan worden, gaat het om een ernstige hersenschudding.
Behandeling Iedereen met een hersenschudding moet een dokter opzoeken. Soms voert deze een hersenscan uit om te controleren of er bloedingen of andere beschadigingen zijn. Een lichte hersenschudding moet in de gaten gehouden worden, aangezien symptomen weken kunnen aanhouden. Maar als er geen verdere beschadigingen aan hersenen zijn, is medisch ingrijpen niet nodig. Jonge mensen moeten gedurende 3 maanden verder hoofdletsel zien te voorkomen, omdat ze in deze periode gevoeliger zijn voor hersenbeschadigingen.

Zweepslag/whiplash

Nekletsel is een tamelijk alledaags voorval en komt vaker voor bij snow-

boarders, die op hun zitvlak vallen, dan bij skiërs, die opzij vallen. Gelukkig is zweepslag meestal niet ernstig en is het meer een heftige pijn in de nek.
Behandeling Een zweepslag volledig uitsluiten is niet realistisch, maar met een warming-up van de nek en een goede bloedsomloop kunt u het risico wel verkleinen. Koel uw nek de eerste 24-48 uur met ijs en laat u vervolgens masseren. Als de zwellingen en kneuzingen verdwenen zijn, houd dan de nek warm.

Botbreuken

Alle botten in het lichaam kunnen breken, maar fracturen van pols, sleutelbeen, ribben of onderbeen zijn het gangbaarst. Botbreuken kunnen eenvoudig of gecompliceerd zijn en als u echt pech hebt, uit drie of meer botfragmenten bestaan. U kunt een breuk meestal herkennen aan een bobbel onder de huid (of een bot dat uitsteekt!).
Behandeling Fracturen moeten stil gehouden worden, zodat het bot weer aan elkaar kan groeien. Afhankelijk van de ernst van de breuk duurt de genezing maanden en zijn een operatie en spalken nodig om het bot onbeweeglijk te houden, terwijl andere breuken al na een aantal weken geheeld zijn met enkel gipsverband.

Verrekte gewrichtsband van de duim

Een 'skiduim' is een blessure van de gewrichtsband en ontstaat meestal als u valt en uw uitgestrekte hand de grond raakt terwijl u uw stok nog vast hebt. Hierdoor rekt de duim erg uit en beschadigt de gewrichtsband. Maar ook boarders kan het op een borstelbaan overkomen als hun duim vast haakt in de mat. Deze blessure doet veel pijn.
Behandeling Gun de duim rust en koel hem met ijs. Een dokter zal de duim verbinden, zodat de beschadigde band rust krijgt. Afhankelijk van de ernst van de blessure, zult u wellicht fysiotherapie nodig hebben voor een hernieuwd krachtige en beweeglijke duim of zult u meteen geopereerd worden als de gewrichtsband gescheurd is. Maar u zult gewoon kunnen blijven skiën zolang u de lus van de stok ook rond uw pols houdt en niet alleen in uw hand.

Gescheurde achillespees

De achillespees loopt een behoorlijk risico bij skiën en boarden, omdat u deze intensief gebruikt. Mocht u een constante pijn in uw hiel of onderbeen voelen, dan kan de pees ook gewoon verrekt zijn in plaats van gescheurd. Door rust zal hij genezen. Maar gaat u altijd even langs de dokter, aangezien een klein scheurtje verder kan scheuren als het niet behandeld wordt.
Behandeling U kunt deze blessure behandelen door veel rust te nemen, maar de kans dat de pees weer aangroeit wordt met een operatie sterk vergroot.

Kneuzingen

Kneuzingen zijn weliswaar niet levensbedreigend, maar kunnen onderliggende problemen verbergen. Laat kneuzingen controleren. Een gekneusd stuitbeen is een van de meest voorkomende kwalen bij boarders en kan maanden duren, helaas. Skiërs daarentegen hebben vaak last van door hun uitrusting veroorzaakte kneuzingen op willekeurige plekken op hun lichaam.
Behandeling Arnica is fantastisch, maar er is nog weinig onderzoek naar gedaan. En anders is een middel om de zwelling tegen te gaan in combinatie met een paar weken geduld ook afdoende.

Hoogteziekte

Sommige wintersportoorden bevinden zich boven de 3000 m. Op deze hoogten zorgt het lage zuurstofgehalte voor een verhoogd risico op hoog-

teziekte. Een vermoeid gevoel na lichte inspanning, een ziek of duizelig gevoel, of hoofdpijn duiden allemaal op hoogteziekte. Acute hoogteziekte kan levensbedreigend zijn, omdat zich vocht kan verzamelen in de longen en hersenen.
Behandeling Neem bij matige hoogteziekte de tijd om te stijgen (ongeveer 300 m per dag) en uw lichaam zal zich binnen 1-3 dagen aan de omstandigheden aanpassen. Sommige geneesmiddelen helpen de symptomen tegen te gaan. Bij acute hoogteziekte moet u meteen afdalen en medische hulp zoeken.

Sneeuwblindheid

Het hoornvlies van het oog kan verbranden als het blootstaat aan door de sneeuw gereflecteerde zonnestralen. Dit is zeer pijnlijk en voelt aan alsof er zand in het oog zit en wordt vaak vergezeld van hoofdpijn en tijdelijke blindheid, die een paar dagen kan aanhouden. Als het oog langere tijd blootstaat aan UV-stralen kan het gezichtsvermogen permanent verloren gaan.
Behandeling Voorkomen is beter dan genezen – draag een 99-100 % UV-beschermende zonnebril. Koele, natte kompressen helpen de ontsteking tegengaan en door de ogen niet aan licht bloot te stellen vermindert de pijn en bespoedigt de genezing. De symptomen verdwijnen vaak na 48 uur, vergelijkbaar met een zonnebrand.

Uitdroging

Tegen de tijd dat u dorst hebt, bent u al bijna uitgedroogd. Uw hartslag is hoger en u voelt zich duizelig en geïrriteerd en hebt misschien hoofdpijn. Het is niet eenvoudig aan uw waterbehoefte te voldoen als u tot op uw botten verkleumd bent en de waterfles in uw rugzak zit. De beste oplossing is een CamelBak, dan kunt u de hele dag slokjes nemen.
Behandeling Drink heel veel water! Gebruik sportdrankjes die uw vochtgehalte nog sneller weer op peil brengen. In extreme gevallen is een tijdelijke opname in het ziekenhuis noodzakelijk.

Hulp

Als u een van de eerder beschreven blessures hebt, hebt u meestal hulp nodig om in het dal te komen – en moet iemand de reddingsploeg alarmeren. Dit kan door een lokale ski-instructeur, skiofficial of politieagent te waarschuwen, aangezien de meeste een portofoon hebben, of door iemand naar de dichtstbijzijnde skilift te sturen. U zult op een van de volgende manieren de helling verlaten: op een motorslee, in een banaan of per helikopter. Als u bij een gewonde achterblijft, moet u ervoor zorgen dat u goed zichtbaar bent. Als u zich onder een overhangende bergrand bevindt, wordt u misschien niet tijdig opgemerkt door andere pistegebruikers. Plaats een waarschuwingssignaal op de bergrand door bijvoorbeeld twee gekruiste ski's in de sneeuw te steken of blijf daar staan om anderen te waarschuwen. De gekruiste ski's zijn een universeel waarschuwingssignaal voor een ongeluk.

Verzekering

Meestal bieden verkooppunten voor skipassen ook verzekeringen aan, maar deze dekken vaak alleen de reddingsoperatie van de berg. Zodra u in het ziekenhuis bent, moet u alle rekeningen zelf betalen. Kies daarom liever een verzekering die alles dekt. Een verzekering die in Europa erg gangbaar is, is Carte Neige. Hij is niet duur en kan voor een seizoen of per dag gekocht worden. Maar eventueel verlies van uw uitrusting, fysiotherapie na het verdraaien van uw knie of het eerder of later terugvliegen vanwege slechte weersomstandigheden worden niet vergoed.

Een verzekering lijkt zo onbelangrijk als u hem niet nodig hebt. Maar als u wordt geconfronteerd met de rekening van een reddingsoperatie per helikopter, een nieuw vliegticket of voortdurende fysiotherapie, zou u uw beste vriend willen verkopen om alsnog die verzekering te kunnen afsluiten. Ga nergens heen zonder verzekering en het liefst de meest uitgebreide die u kunt krijgen. De punten die de verzekering zou moeten dekken zijn:

- Verlies of schade van uitrusting
- Verlies van andere eigendommen
- Ongelukken op en buiten de piste
- Ongelukken op en naast de berg
- Ziekten
- Annuleringen en vertragingen
- Gesloten skiliften
- Andere sneeuwsporten waaraan u misschien deel wilt nemen, zoals heli-skiën, parascenden, sledgen enzovoort.

Lees ook de kleine lettertjes om te zien welke activiteiten gedekt zijn. Hoewel steeds meer verzekeringsmaatschappijen nu gelukkig standaard het boarden en skiën buiten de piste vergoeden (meestal met gids), dekken sommige wel skiën en niet boarden. Zoals voor alle verzekeringen is er een eigen risico. Controleer hoeveel uw eigen risico zal bedragen als u een claim indient (het is niet zinvol om uw uitrusting te verzekeren voor 250 euro als de verzekeringspolis aangeeft dat u de eerste 250 euro van elke claim zelf dient te betalen). In de meeste gevallen moet u een aangiftebewijs overhandigen als er iets gestolen is. Anders zal de verzekering geen cent uitkeren.

Sommige landen hebben wederzijdse overeenkomsten voor de gezondheidszorg, hetgeen betekent dat reddingsoperaties in noodgevallen gratis zijn. Controleer of u alle benodigde documenten hebt (bijvoorbeeld een getekend verzekeringsbewijs voor EU-landen), als u hiervoor in aanmerking komt. Misschien moet u eerst wel voor de verleende zorg betalen, maar kunt u het later terugvorderen.

Verhuurbedrijven bieden vaak eigen verzekeringen aan voor de materialen die ze verhuren. Controleer uw reisverzekeringspolis om te zien of dit vergoed wordt. Meestal zult u het verhuurbedrijf in eerste instantie moeten betalen en kunt u de kosten later bij uw verzekeringsmaatschappij terugvorderen. Neem gedocumenteerde bewijsstukken mee voor alles wat u hoopt te claimen aangezien verzekeraars berucht zijn om hun onbereidwilligheid als het om uitbetalen gaat.

4 Op naar de piste

Een goede vaardigheid in skiën en boarden vergt tijd en energie. Aanvankelijk vindt u het misschien makkelijk of juist frustrerend, maar trek geen overhaaste conclusies voordat u tenminste drie dagen verder bent. Dan vallen de dingen namelijk op hun plek. Hoewel u het eerst moeilijk zal kunnen geloven, wordt snelheid uw vriend, en zal zij met u samenwerken en al uw manoeuvres vloeiender en moeitelozer maken. De geïnvesteerde tijd zal de moeite lonen. De volgende bladzijden voeren u langs alle basistechnieken van het skiën en boarden.

Courchevel 1850
ALTIPORT
Courchevel 1650
CAVE des CREUX

Skiën en snowboarden

Er bestaan tegenwoordig vrij duidelijke basistechnieken voor beginners die zich willen bekwamen in het skiën en boarden. Hoewel de basistechnieken voor skiën uiteraard verschillen met die voor boarden zijn er veel overeenkomsten. Ondanks de vijandigheid die tussen beide sporten bestaat, zijn ze op veel vlakken identiek. Beide disciplines vragen voor zowel het inzetten als voor de voltooiing van een bocht om een flexibele houding. Ze maken beide op gelijke wijze gebruik van de kantendruk voor het sturen, de traverse, carven en stoppen. Sinds de introductie van het carven en de grote bochtstraal zijn zelfs de bochtvormen van een skiër en een boarder inmiddels identiek. De verschillen tussen beide sporten zijn eenvoudig terug te voeren op de richting waarnaar het lichaam gericht is en het effect hiervan op de bewegingen die nodig zijn voor de beheersing van de ski's of het board (als we voorbijgaan aan het simpele feit dat skiërs in tegenstelling tot boarders stokken gebruiken). Terwijl een boarder opzij kijkt en bochten inzet door voor- of achterover te leunen, kijkt de skiër over het algemeen naar voren en zet hij bochten in door opzij te leunen.

Wat betreft het leren van de sport komen de verschillen voort uit het feit dat een board slechts één kant heeft om te balanceren, terwijl ski's er twee hebben. Het is vanzelfsprekend lastiger om te balanceren op één kant dan op twee, en dat houdt in dat snowboarders meer vallen en de eerste twee dagen minder lijken te bereiken. Maar een boarder boekt snel technische vooruitgang en met voldoende zelfvertrouwen kan een boarder al na een week heel vaardig zijn. Een skiër boekt minder snel vooruitgang, omdat het iets langer duurt om de technieken meester te worden. Ook een skiër zal na een week redelijk bekwaam zijn, maar het is onwaarschijnlijk dat hij erg stijlvol zal skiën.

DEGRE
7

Ski-etiquette

Bij skiën verplaatst een groot aantal mensen zich in hetzelfde gebied. Er zijn daarom gedragregels opgesteld om ruzies en ongelukken op de piste te beperken. Ze zijn eenvoudig en effectief (tenzij u zich op een beginnersweide begeeft, waar iedereen met zichzelf bezig is en enthousiastelingen tegen alles en iedereen opbotsen, of ze nu wel of niet op de hoogte zijn van de gedragsregels). De gedragsnormen zijn uitgevaardigd door de Internationale Ski Federatie (FIS) en zijn als volgt:

Gedragsregels voor skiërs

1. **Respect** Breng anderen niet in gevaar.
2. **Beheersing** Pas snelheid en skigedrag aan op uw vaardigheid en de algemene omstandigheden op de piste.
3. **Parcours kiezen** De skiër/snowboarder voor u heeft voorrang – houd voldoende afstand.
4. **Inhalen** Houd voldoende afstand bij het inhalen van een langzamere skiër/snowboarder.
5. **Vertrekken of kruisen** Kijk altijd goed naar boven en beneden als u zich op een piste begeeft of een piste kruist.
6. **Stilstaan** Stop alleen aan het einde van de piste of op plaatsen waar u goed te zien bent.
7. **Klimmen** Skiërs mogen alleen aan de rand van een piste naar boven of beneden gaan.
8. **Borden** Leef alle borden en waarschuwingstekens na – ze dienen uw veiligheid.
9. **Hulp** Bied hulp bij ongevallen en alarmeer de reddingsploeg.
10. **Identificatie** Iedereen die betrokken is bij een ongeval, inclusief getuigen, moeten zich legitimeren.

Op de pistes

Onvoorspelbaar gedrag is niet erg sociaal. Het is tamelijk egoïstisch om plotseling van richting of snelheid te veranderen en ervan uit te gaan dat anderen zich aan u zullen aanpassen. Zelfs als u theoretisch voorrang hebt op van achter komende pistegebruikers, kan hij/zij niet weten dat u plotseling iets anders gaat doen.

Skiërs en boarders kunnen veilig naast elkaar glijden als ze elkaar een beetje begrijpen. Over het algemeen zijn skiërs redelijk gelijk en nemen ze korte bochten of bij het carven een opeenvolging van ritmische brede bochten. Boarders nemen meestal minder en wijdere bochten. U moet boarders meer afstand gunnen, aangezien zij een dode hoek aan hun rechterkant hebben als ze goofy rijden en aan hun linkerkant als ze regular rijden. Maar zowel skiërs als boarders kunnen elk moment van beweging veranderen of de controle verliezen. Houd daarom voldoende afstand.

Als u getuige bent van een ongeval of iemand op de piste ziet liggen, bied dan uw hulp aan. Soms hebben ze slechts hulp nodig bij het opstaan of het opnieuw onderbinden van hun ski's. Als de situatie ernstiger is, is er hopelijk een dokter of iemand met portofoon in de buurt. Als u een bevoegd EHBO-er bent of een medische achtergrond hebt en de geblesseerde kunt helpen, moet u dit doen. Zo niet, dan kunt u het beste bij de gewonde blijven en iemand naar de dichtstbijzijnde skilift sturen voor hulp.

Andere richtlijnen om te voorkomen dat u uitgescholden wordt, zijn:

In het snowpark:

- Loop niet op of over de creaties in een sneeuwpark en mijd het startpunt en landingsterrein. Voetstappen ruïneren de gladde sneeuw, wat iemand (meestal de parkeigenaar) veel tijd heeft gekost om te creëren. Als de sneeuw onregelmatig is, is het moeilijker een sprong onder controle te houden.
- Steek niet voor creaties over voordat u gecontroleerd hebt of er iemand aankomt.
- Steek niet achter creaties over, omdat u slecht te zien bent en iemand boven op u kan landen.
- Wacht op uw beurt als u gebruik maakt van de parkattracties.
- Als bij een park aangegeven staat 'geen skiërs', zijn skiërs ook echt niet welkom. Ski's kunnen nauwgezet opgebouwde attracties vernielen. Vaak zijn freestyleski's met twin tips wel toegestaan, omdat deze minder schade veroorzaken.
- Als u valt, ga dan zo snel mogelijk uit de weg, omdat anderen zullen wachten of u misschien niet kunnen zien.
- Klim niet in het midden van een half-pipe omhoog. U zult in de weg lopen en uw voetstappen maken de sneeuw onregelmatig.
- Wees verdraagzaam. Een snowpark moet een vriendschappelijke plek zijn waar personen van verschillende vaardigheid met elkaar moeten kunnen opschieten. Iedereen moet ergens beginnen.

In restaurants

- Verwijder zoveel mogelijk sneeuw van uw schoenen en kleding om het zwembadeffect te vermijden.
- Laat uw ski's of board buiten en scheid ski's en stokken om diefstal te voorkomen.
- Neem niet per ongeluk de ski's of board van iemand anders mee – onthoud het nummer van uw uitrusting als hij gehuurd is.
- Houd de wc niet uren bezet door hier uw skikleren uit te doen. Trek ze uit, voordat u naar binnen gaat.

In skiliften

- Laat skischolen voorgaan.
- Ga ook naast onbekenden zitten als u hier volgens de rij zou moeten gaan zitten. Laat geen plekken vrij omdat u op uw vrienden wacht.
- Blijf nict staan als u uit een lift stapt. Zorg ervoor dat u op een veilige afstand bent voor u stopt.
- Laat snowboarders aan de kant zitten. Het is niet prettig voor boarders om hun board recht te houden in een lift.
- Denk niet dat u grappig bent als u sneeuwballen naar skiërs op de grond gooit.
- Maakt u zich geen zorgen als de lift stopt. Dit gebeurt geregeld en wordt meestal veroorzaakt door harde wind of doordat het in- of uitstappen meer tijd kost.

Skitechnieken

Deze technieken voeren u mee van absolute beginner tot het carven en freestylen. Hoewel u verder mag gaan en de meeste manoeuvres kan vergeten zodra u ze eenmaal onder de knie hebt, mag u de basishouding nooit vergeten.

Basishouding

Voor elke sport is er een basishouding, die de beste positie garandeert voor goede prestaties. Voor golf moeten de armen gestrekt zijn om de heupen te kunnen draaien, voor tennis moet de houding soepel zijn, zodat u kunt draaien als u de bal slaat. Voor skiën is het niet anders. Uw basishouding is als volgt:

- Gebogen enkels, knieën en heupen
- Gewicht gelijkmatig verdeeld over beide voeten
- Voeten op schouderbreedte van elkaar
- Armen iets gespreid en iets naar voren
- Blik gericht op de horizon, hoofd omhoog
- Bovenlijf in dezelfde richting als de vallijn gekeerd

Lopen Schuifel voor- en achterwaarts zonder de ski op te tillen, ontwikkel een gevoel voor het glijden van de ski's op de sneeuw. Probeer in een grote cirkel te lopen door de buitenski naar de binnenski te brengen.
Rechtuit glijden Zoek een lichte helling met een vlak terrein aan het eind. Het enige wat u hoeft te doen is

omhoogkijken, ontspannen, uw evenwicht bewaren en uw ski's naar beneden laten glijden. Oefen een paar keer en denk aan de basishouding. Ontwikkel een gevoel voor de juiste houding totdat deze volkomen natuurlijk lijkt.

Basistechnieken

1 **Zijwaarts stappen** Plaats uw ski's op een lichte helling dwars op de vallijn. Druk de bovenste kant van uw ski's in de sneeuw. Neem enkele stappen en ga vervolgens weer terug.

2 **Visgraat** Dit lijkt niet erg elegant, maar is de snelste manier om te klimmen. Plaats uw ski's bergwaarts in een V-vorm en druk de binnen-

kant van uw ski's in de sneeuw. Maak een zo groot mogelijke 'V' en zorg ervoor dat de achterkanten niet over elkaar schuiven; stap de berg omhoog. Uw lichaamsgewicht rust op de binnenkant van de ski's; gebruik uw stokken voor het evenwicht.

3 Sneeuwploeg Keer uw voeten naar binnen en kant de ski's, de skipunten wijzen iets naar binnen en vormen een omgekeerde 'V'. Probeer deze houding steeds iets langer vast te houden en maak de 'V' iets wijder zonder snelheid te verliezen. De sneeuwploeg kan gebruikt worden om te remmen of om vaart te minderen door meer druk uit te oefenen op de binnenkant van de ski's.

4 Sneeuwploegbochten Het nemen van bochten zult u moeten leren, aangezien u zelden een helling recht zult afdalen. Om uw snelheid te beheersen maakt u vloeiende S-bochten tijdens uw afdaling. Om een sneeuwploegbocht te maken oefent u eerst om uw sneeuwploeg van koers te veranderen: terwijl u afdaalt met de sneeuwploeg, keert u uw linkervoet naar binnen, zodat de punt van de ski meer naar rechts wijst en u naar rechts gaat. Probeer nu hetzelfde met uw rechtervoet, zodat u naar links gaat. Blijf naar de horizon kijken.

5 Parallelle sneeuwploegbocht Ga met gematigde snelheid een kleine ploegbocht in, belast de buitenski zodat de binnenski niet wegglijdt. Zodra u de bocht uitdraait, buigt u uw binnenbeen zodat de skipunt in dezelfde richting wijst als de andere ski. Probeer de

binnenski niet op te tillen uit de sneeuw, maar verschuif hem liever onder de voet, omdat de ski's dan minder dicht bij elkaar uitkomen.

6 Parallelbocht De parallelbocht is hetzelfde opgebouwd als de sneeuwploegbocht, maar de bewegingen zijn afgezwakt; de ski's staan niet in ploegstand. Probeer de binnenski steeds eerder te draaien in de bocht. Denk erom dat u met beide ski's stuurt door beide benen in de bocht te buigen. Probeer uw ski's te ontlasten als u van kant wisselt, en neem de basispositie weer aan om de bocht af te ronden.

7 Gesneden traverse Bij carven skiet u op de kanten van uw ski's in dezelfde richting waarin ze wijzen, en laat u twee smalle lijntjes in de sneeuw achter. Draai uw voeten niet, maar kantel alleen uw enkels zodat de ski's zich op één kant bevinden en in een rechte lijn glijden. Voor een traverse moet u snelheid maken, naar de berg leunen en kracht zetten op uw ski's.

8 Gesneden bocht Dit is een verlenging van de traverse maar de ski's wijzen langs de vallijn. Kantel uw enkels en vervolgens knieën naar de helling om beide ski's op één kant te brengen.

9 Schuss Voor de schuss richt u uw ski's eenvoudig recht naar beneden en neemt u de basishouding aan. Om de weerstand te verkleinen neemt u een gehurkte positie aan. Houd uw stokken evenwijdig aan de grond en uw voeten op schouderbreedte voor het evenwicht.

Boardtechnieken

Deze technieken zijn bedoeld voor een softschoenuitrusting en een freestyle- of freerideboard, hoewel ze lijken op de technieken voor hardschoenen. Als u wilt leren boarden op een slalomboard, voorzien de volgende technieken u van basiskennis, maar u hebt voor de praktische begeleiding een instructeur nodig.

Basishouding

Een juiste houding lijkt niet alleen mooier, maar hiermee kunt u ook elk type helling nemen. Met een andere houding levert een geprepareerde piste weliswaar geen problemen op, maar wordt een uitdagender parcours lastig. De basishouding voor snowboarden is:

- Gebogen enkels
- Gebogen knieën
- Gewicht gelijkmatig verdeeld over beide voeten
- Armen gespreid
- Rechte rug, hoofd gekeerd in glijrichting
- Blik gericht op horizon

Basistechnieken

1 **Lopen** Maak een voet vast en zoek een vlak terrein, loop met de neus van uw board vooruit. Probeer het nu met uw voet aan de andere kant van het board.

2 **Skaten** Als u in evenwicht bent, probeer dan te skaten door met een voet af te zetten en hem daarna vóór de achterste binding op het board te plaatsen. Door de duwkracht zal het board een paar seconden blijven glijden.

3 **Glijden in een rechte lijn** Plaats op een lichte helling met een vlak terrein aan het eind het board met de neus naar het dal en plaats uw achterste voet voor de achterste binding op het board. Kijk in de glijrichting met uw kin op uw schouder en uw armen gespreid, laat het board naar beneden glijden.

4a Sideslippen Plaats uw board op een iets steilere helling dwars op de vallijn en maak beide voeten vast. Om stil te blijven staan, tilt u uw tenen op, zodat een kant en uw hielen zich in de sneeuw graven. Houd uw blik hoog en laat langzaam uw tenen zakken om te beginnen met glijden. Til om te stoppen uw voeten weer op voor de kantengrip en duw uw hakken in de sneeuw. Zorg ervoor dat uw dalkant (in dit geval uw tenenkant) nooit de sneeuw raakt.

b Om hetzelfde te doen met uw tenenkant moet u zich omrollen, zodat u in bergrichting kijkt. Ga op uw billen zitten met uw handen omhoog. Til beide voeten tegelijkertijd op terwijl u uw lichaam over de helling rolt en de nose van uw board naar de tail gooit en andersom.

c Sideslippen op uw tenenkant (blik gericht naar de bergkant) is feitelijk makkelijker dan op uw hakken, aangezien u voor de kantengrip alleen uw knieën hoeft te buigen. Zorg ervoor dat u omhoog blijft kijken.

5 Falling leaf Begin met sideslippen op uw tenen of hakken totdat u enige snelheid hebt en in evenwicht bent. Leg nu uw kin op uw rech-

terschouder en zet kracht met uw rechtervoet. Als u naar rechts kijkt en wijst in de richting van uw blik, zult u langzaam naar rechts glijden. Verplaats om te stoppen uw gewicht weer naar het midden. Door deze oefening te herhalen glijdt u van de ene kant naar de andere kant als een dwarrelend blad van een boom – vandaar de naam. Kijk altijd in de richting die u op wilt.

6 Garland Het doel is hier om de nose van het board steeds verder in de richting van het dal te duwen om vervolgens weer vaart te minderen door hem veilig overdwars op de vallijn te brengen. Maak gebruik van dezelfde vaardigheden als hierboven: kijk in de richting die u op wilt; beweeg uw voet pendelend op en neer; verplaats uw gewicht naar het midden om te stoppen als het board zich weer dwars op de vallijn bevindt.

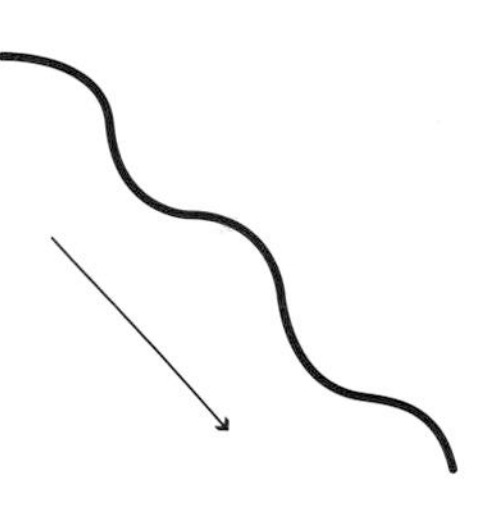

4c

5

6

7 Rutschbocht Deze bocht is niet meer dan twee garlands achter elkaar met tussendoor een kantenwissel. Met andere woorden: uw board glijdt van de ene kant (richting dal) over naar de andere kant om de bocht te voltooien. Leid het board eerst dalwaarts door kracht te zetten met uw voorste been en door in dezelfde richting te kijken en te wijzen. Kijk op de vallijn langzaam rond en bewaar uw evenwicht. Het board zal uw blik volgen, wissel nu van kant met uw achterste voet van hakken- naar tenenkant of andersom. Voltooi de bocht door het board dwars op de vallijn te brengen, buig uw lichaam en verdeel het gewicht gelijkmatig over beide voeten.

Punten om te onthouden:

- *Houd uw armen gespreid. Zorg ervoor dat uw achterste hand niet opzij beweegt, omdat het board dan moeilijker te sturen is.*
- *Houd het gewicht op uw voorste voet, ook als u in de vallijn angstig wordt. Een natuurlijke reactie van het lichaam is om bij hoge snelheid in de tegengestelde richting te leunen. Hierdoor verliest u de beheersing over het board en gaat u nog sneller. De belasting op uw voorste voet, ook als uw verstand iets anders zegt, helpt u uw board over de vallijn te brengen. Kijk in de richting waar u heen wilt en niet naar beneden, anders zult u vallen.*
- *Wissel midden in de bocht niet te snel van kant. U moet even op de vallijn blijven en uw board langzaam in de richting van uw blik en arm leiden. Als u op de vallijn van kant wisselt, zult u vallen.*
- *Blijf lachen. U zult ongetwijfeld een keer ondersteboven landen, tenzij u buitengewoon getalenteerd bent. Als u niet 80 % van de tijd plezier hebt, kunt u uw tijd beter besteden.*

7a
7b
7c
7d
7e
7f

8 **Wave** Zodra u de bocht bijna voltooid hebt zonder dat het board te veel snelheid verliest, zet u de volgende bocht in. Zorg ervoor dat u het board ontlast als u de bocht inzet en buig uw lichaam om de bocht te sluiten. Uw lichaam moet reactief zijn en moet zich langzaam oprichten of langzaam buigen.

9 **Gesneden traverse** Bij het carven gebruikt u alleen de kant en glijdt u in dezelfde richting waarin het board wijst, in plaats van te 'rutschen'. De combinatie van kantengrip en druk zorgt ervoor dat het board op zijn kant blijft en hiervoor hebt u enige snelheid nodig. Zoek een redelijk steile helling en daal af in een boog waarbij u de bergkant in de sneeuw duwt door uw lichaam te buigen. Probeer een gevoel te ontwikkelen voor de ondersteuning van de kantengrip en laat de taillering van uw board de vorm van de boog bepalen.

10 **Gesneden bocht** De gesneden bocht onderscheidt zich van de wave door het moment waarop de kantenwissel plaatsvindt. Terwijl u bij de wave midden in de bocht van kant wisselt als het board naar beneden langs de vallijn wijst, wisselt u bij de gesneden bocht eerder van kant en keert u het board op de vallijn om en met een buiglijn weer terug. Bij gesneden bochten met een grote radius kruist het lichaam boven het board voor de kantenwissel, bij korte bochten kruist het board onder het lichaam, terwijl het board verticaal op de helling blijft.

Freestyle

Freestyle verwijst naar het meest opvallende aspect van snowboarden en skiën: de tricks. Bij freestyle wordt niet altijd gesprongen; sommige tricks worden niet in de lucht uitgevoerd – met andere woorden u kunt ook zonder al te veel moeite opvallen! Misschien zult u helemaal geen 'jibbingmanoeuvres' of tricks leren, omdat uw instructeur het tijdstip niet juist acht om ze te onderwijzen, dus ga er niet vanuit dat u tijdens uw lessen ook kennis maakt met freestyle. Maar freestyle ('free' letterlijk: vrij om te doen wat u wilt) omvat een zulk uitgebreide reeks tricks, van een simpele 'wheelie' tot een 'big air 720° spin', dat u ongetwijfeld enkele tricks zult oppikken.

Skifreestyle – flatland

Om skitricks uit te voeren kunt u beide skistokken in een hand houden, aangezien u ze zelden gebruikt. Flatlandtricks zijn trucjes op een vlak terrein, waarvoor u niet door de lucht hoeft te vliegen.

1 **360° flatland spin** Bij het sluiten van een korte bocht zet u kracht op de voorkant van uw ski's totdat ze bergwaarts wijzen. Zodra u bijna geen vaart meer hebt, leunt u op de achterkant van uw ski's en verplaatst u uw gewicht naar de tegengestelde voet, zodat de ski's naar achteren glijden, en draait u ze om nog een korte bocht achteruit te maken.

2 **Half cab** Terwijl u fakie glijdt, draait u 180° naar voren. Kijk over uw schouder in de richting waarin u wilt draaien en draai met een kleine sprong, zodat u iets omhoogkomt.

3 **Druk uitoefenen op de punt** Plaats uw gewicht zo ver mogelijk naar voren, til de achterkanten van de ski's op en bewaar uw evenwicht als u opzij glijdt.

Boardfreestyle – flatland

1 **360° flatland spin** Begin met een gerutschte U-vormige bocht. Als het board bijna stilstaat, kijkt u over uw tegengestelde schouder en zet kracht met uw achterste voet. Leun richting bergkant terwijl u met uw tegengestelde voet stuurt en wissel naar de andere kant, zodat u nog een U-vormige bocht maakt. Herhaal.

2 **Wheelie** U hebt een soepel board nodig. Oefen op een vlak terrein met het opwippen van de nose en tail van uw board. Plaats op een lichte helling uw board richting vallijn en balanceer op de tail als u glijdt. Blijf niet op uw achterste voet staan maar leun achterover alsof u probeert uw board helemaal op te tillen.

3 **Nose- en tailroll** Deze trick is het eenvoudigst te leren bij het sluiten van een bocht. Als u bijna stilstaat, plaatst u uw gewicht op uw voorste voet en trekt u uw achterste voet op alsof u een omgekeerde wheelie maakt. Draai het lichaam verder in de draairichting terwijl u balanceert op uw voorste voet, zodat uw achterste voet door de lucht zwaait en neerkomt op de tegengestelde kant.

4 **Ollie en nollie** Een ollie (of nollie bij afspringen over de nose) is de enige manier om te springen als er geen rand of val is om opgetild te worden. Het idee van een ollie is afkomstig uit het skaten en de manoeuvre ziet er vrijwel hetzelfde uit; eerst komt de voorkant van het board omhoog en daarna de achterkant en het board komt horizontaal in de lucht terecht voordat het met beide voeten tegelijkertijd weer landt. Buig uw lichaam en plaats uw gewicht op uw voorste voet. Til eerst uw voorste voet op, trek uw achterste voet explosief bij. Land met beide voeten tegelijk.

Snowpark

Snowparks zijn speciaal ontworpen gebieden om tricks te doen. Meestal zijn er een aantal kickers (speciaal ontworpen schansen), een half-pipe (een U-vormig ontwerp waarbij beide kanten worden gebruikt om te springen en steeds geland wordt op dezelfde 'muur') en enkele verschillend gevormde rails om op te sliden. Elk park is anders en wordt alleen beperkt door de fantasie van de ontwerper.

Pipe De truc is om niet tegen de muur van de pijp te springen, maar om ontspannen de lijn van de pijp te volgen. Begin door uw ski's/board te ontlasten zodra u boven vaart verliest. Buigt u zich in de pijp en strekt u zich zodra u vaart verliest. Naarmate u meer zelfvertrouwen en snelheid krijgt, probeert u tot bovenaan te komen om vervolgens over de rand van de pijp te gaan.

Zodra u licht omhooggetild wordt en hoger komt, bouwt u enkele tricks in zoals grabs of rotaties (zie onder).

Rails Deze zijn pijnlijk als u valt, dus maak geen fouten! Draag beschermende kleding. Sliden is niet eenvoudig aangezien u uw evenwicht moet zien te bewaren met uw zwaartepunt exact boven de rail.

Boarders – probeer eerst een 50/50 te sliden over de rail met uw board in glijrichting. Het enige wat u hoeft te doen is uw board vlak houden, uw evenwicht bewaren en glijden. Probeer vervolgens te sliden op uw hakkenkant. Met een kleine ollie komt u in de juiste positie. Zorg ervoor dat uw gewicht gelijkmatig verdeeld is over beide voeten en de rail zich precies tussen uw voeten bevindt. U zult automatisch achterover leunen; houd als tegenwicht uw armen naar voren. Probeer nu een boardside op tenenkant of een fakie 50/50 door uw board verticaal op de rails te zetten.

Skiërs – nader de rail met voldoende snelheid en spreid uw voeten voor het evenwicht als u erop springt. U hebt niet de keus om recht over de rails te skiën of 50/50 maar er bestaan een hele reeks tricks die u op de rail kunt uitvoeren zoals tailslides enzovoort.

Air

Kijk, voordat u van een schans springt, eerst of het veilig is. Hij mag niet te groot zijn, het oppervlak niet te ijzig of onregelmatig, de landingsplaats moet steil en lang genoeg zijn (de landingsplaats mag nooit vlak zijn) en er mag niets of niemand in de weg staan.

Glij recht op de schans af en oefen op beide voeten evenveel druk uit. Buig op het glijvlak en strek zodra u de rand bereikt, buig bij de landing en land op beide voeten tegelijk.

Grabs Het inbouwen van grabs in de lucht lijkt mooi en is nuttig voor het evenwicht in de lucht. Er zijn veel verschillende soorten grabs.

- **Skigrabs**

  Mute Dit is een van de eerste grabs die u zult leren. Trek uw knieën op naar uw borst en kruis uw handen voor u om de buitenste kant van de tegengestelde ski te pakken.

Japan Pak de tegengestelde ski vast, onder hetzelfde been als de hand waarmee u grijpt.

Safety Pak de buitenkant van dezelfde ski als de hand waarmee u grijpt.

Toxic Pak de binnenkant van dezelfde ski.

True tail Grijp naar achter en pak de achterkant van dezelfde ski vast als de hand waarmee u grijpt.

- **Board grabs** De standaard boardgrabs zijn:

  Indie Uw voorste hand tussen de bindingen aan tenenkant.

  Mute Uw achterste hand tussen de bindingen aan tenenkant.

  Nose Uw voorste hand op de nose.

  Tail Uw achterste hand op de tail.

  Stalefish Uw achterste hand tussen de bindingen aan hakkenkant.

  Method Zoals stalefish, maar met gebogen rug.

  Melon Uw voorste hand tussen uw benen aan hakkenkant.

Voor alle bovenstaande grabs geldt: worden ze uitgevoerd met een gestrekt been, dan staan ze bekend als 'boned' of 'poked' grab; met twee gestrekte benen gaat het om een 'stiffy'. Als uw bovenlijf bovendien in tegengestelde richting draait, wordt de grab een 'shifty air' genoemd.

Rotaties Evenals voor alle manoeuvres bij skiën en snowboarden geldt voor rotaties dat u met uw blik leidt en zo snel mogelijk een punt bepaalt waar u gaat landen. Wilt u een 'big spin' maken (360° of meer), dan draait u voor u springt in tegengestelde richting om ervoor te zorgen dat u draaikracht hebt in de lucht.

Enkele van de belangrijkste spins zijn:

- Frontside (met de klok mee als u goofy bent, tegen de klok in als u regular bent).
- Backside (het tegenovergestelde).
- Alle draaien van 180° tot 1080° (ofwel 3 hele draaien) of meer, op horizontale, verticale of dwarse as.

De ontwikkeling van freestyle staat niet stil en het is dan ook niet verbazingwekkend dat de terminologie even snel verandert. De bewegingen die hierboven beschreven staan, vormen een selectie van tricks met gangbare namen, maar er zijn honderden variaties. De namen grenzen soms aan de zonderlinge kant: Bonk, Burger flip, Caballerial of Cab, Chicken salad, Corkscrew, Crail, Crippler, Crossbone method, Crooked cop air, Egg flip, Eggplant, Flying squirrel, Fresh fish, Gay twist, Haakon flip, Iguana air, J-Tear, Jadeo, Japan air, Lien air, McEgg, McTwist, Melonchollie air, Method air, Miller flip, Misty flip, Mosquito, Nuclear, Palmer air, Phillips 66, Pop tart, Revert, Rewind, Roast beef, Rocket, Rodeo flip, Sad plant, Seatbelt, Spaghetti, Stalefish, Stalemasky, Suitcase, Swiss cheese, Tali slide en Taipan, om slechts enkele te noemen.

In werkelijkheid hebben de meeste mensen boven de 14 geen flauw idee wat de verschillende namen inhouden en nog minder mensen kunnen ze uitvoeren. Laat de overvloed aan belachelijke namen u er dan ook niet van weerhouden op zijn minst enkele freestylebewegingen te proberen.

Een opmerking over buckelpisteskiën

Buckels (moguls) zijn bijzonder. En niet altijd op een goede manier. Let u er met name op dat u zich meer buigt en uw zwaartepunt verlaagt. Er zijn twee manieren om een buckelpiste af te leggen:

1. Gebruik de sporen om langs de buckel te skiën, waarbij u de bovenkant van elke buckel grijpt om uw snelheid te beheersen.
2. Ski in een rechte lijn en beperk bochten en draaibewegingen, beheers uw snelheid door de bovenkant van elke buckel te raken waar de sneeuw vaak beter is.

Buckels vragen om een andere kantenwissel dan in het eerder beschreven gedeelte, waarbij het bovenlichaam boven de benen kruist ('cross-over'-bochten) en de kanten halverwege de bocht worden gewisseld. Hoewel u deze methode kunt toepassen als u langzaam langs de buckel glijdt (methode 1 boven), worden bij het glijden over de buckel in een rechte lijn

de benen doorgaans explosief opgetrokken om de buckel te nemen en wordt op de buckel van kant gewisseld. Dit is de 'cross-under'-methode van het draaien, waarbij de benen zich onder het bovenlijf kruisen.

Bij het skiën wijzen de schouders dalwaarts en is de blik gericht op een punt aan de voet van de berg. Hierdoor wijkt u minder af van uw gekozen parcours. Uw houding moet gedrongener zijn en uw stokinzet zal iets verder naar voren moeten liggen (waar de derde versnelling zou zitten op een versnellingspook van een auto) om ervoor te zorgen dat uw gewicht niet teveel naar achter schuift en om te voorkomen dat de buckels u als het ware uitspugen. U hebt sterke handen en voeten nodig om op de directe afdalingslijn te blijven, zelfs op een lichte helling.

De meeste boarders gaan buckels uit de weg, maar ze kunnen erg leuk zijn, mits ze niet te ijzig zijn. Hoewel u uw lichaam het beste ongeveer op dezelfde lijn als het board kunt houden, met enige contrarotatie van boven- en onderlichaam, is dit erg moeilijk en bij hoge snelheden niet altijd mogelijk (het bovenlichaam zal anticiperen en de bocht leiden, het onderlijf zal pas later reageren). Door contrarotatie van uw bovenlijf zult u veel sneller van kant kunnen wisselen, maar deze positie is niet eenvoudig vast te houden en u zult sneller uitbreken wanneer u uw evenwicht verliest dan wanneer uw boven- en onderlijf zich in lijn zouden bevinden. Bepaal uw parcours en houd hieraan vast door u op een punt aan de voet van de helling te richten.

Een opmerking over poedersneeuw

Poedersneeuw is heerlijk, zowel op een board als op ski's. Kies steile hellingen, want op een lichte helling zult u blijven steken en kunt u misschien niet meer uit de sneeuw komen om verder te gaan. Zorg ervoor dat u iets achterover leunt, houd voldoende snelheid en houd de punten van uw ski's/board uit de sneeuw. Korte bochten zijn moeilijk, maar soms noodzakelijk om de snelheid te beheersen. Bochten verschillen niet veel van die op geprepareerde sneeuw, afgezien van de druk bij het inzetten. Terwijl op gewalste sneeuw druk wordt uitgeoefend bij de startfase van de bocht, zult u op poedersneeuw niet glijden en moet u bij het inzetten van de bocht de ski's/board juist zoveel mogelijk ontlasten en pas in de eindfase kracht zetten.

Een opmerking over steile hellingen

Daal alleen af langs een steile helling als u in staat bent uw basishouding voortdurend vast te houden en het maken van korte bochten goed beheerst, aangezien korte bochten de enige manier zijn om de toenemende snelheid te reduceren. Om bij elke bocht de tail(s) vrij te houden van sneeuw, blijft u dwars op de helling. Voor skiërs: gebruik uw skistok vroeg in de bocht en zo ver mogelijk dalwaarts.

Een opmerking over gevarieerd terrein

Bij gevarieerd terrein weet u nooit wat u te wachten staat, houd daarom uw basishouding vast en overdrijf haar enigszins. Buig iets verder en blijf ontspannen en zorg dat de spieren alert zijn.

Een opmerking over liften

Sleepliften

De meeste sleepliften zijn zeer pijnlijk voor de rug, of dijbenen als u een boarder bent. De belangrijkste types zijn:

- Rollend tapijt
- Eenpersoonssleeplift
- Tweepersoonssleeplift
- Vreemde touwsleepliften (vooral in Nieuw-Zeeland, waar het bereiken van de top de grootste sport vormt).

Rollende tapijten zijn relatief ongecompliceerd en niet pijnlijk voor skiërs en boarders, maar touwsleepliften betekenen voor zowel skiërs als boarders hard werken. De rest van de liften, ontworpen voor skiërs en voornamelijk plezierig voor hen, zijn een nachtmerrie voor boarders, omdat ze hun voorste voet naar voren moeten verdraaien.

Voorbereiding In sommige landen moeten boarders hun achterste voet uit de binding losmaken en hem tegen de achterste binding op de stomp pad plaatsen. In andere moet hij vastgegespt zijn.

Zonder twijfel zal het liftpersoneel tegen u tekeergaan als u iets verkeerd doet. Skiërs moeten hun handen uit de lussen halen en hun skistokken in één hand zouden. Zorg ervoor dat uw ski's/board rechtstaan voor u de haak pakt. Plaats uw gewicht iets naar achter om u voor te bereiden op de ruk.
Tijdens Deze liften dragen uw gewicht niet, dus ga niet zitten. Houd uw knieën iets gebogen en uw hoofd omhoog en laat de lift u omhoog trekken (alsof u door de hand van iemand omhoog wordt getrokken). Skiërs hoeven alleen maar te ontspannen en van het uitzicht te genieten. Boarders moeten de lift loslaten met hun achterste hand en deze voor het bewaren van hun balans gebruiken (door het vasthouden met twee handen wijst het bovenlijf naar voren en neemt het het board mee, waardoor het moeilijker wordt om het board in de goede richting te houden).

Bij een J- of T-haak kunnen boarders de stang achter beide benen plaatsen maar dit is niet comfortabel en maakt het moeilijker om in een zijwaartse houding te blijven. Het plaatsen van de stang achter uw voorste been is beter, maar niet veel comfortabeler!
Afstappen U wordt gewaarschuwd als u aan het einde bent en op een zacht weghellend vlak zult aankomen. Zodra de grond bovenaan de helling van u weghelt, laat u de stang los, skiet u opzij en zorgt u ervoor dat de volgende skiër na u kan afstappen.

Stoeltjesliften

Voorbereiding Boarders maken hun achterste voet los, skiërs nemen beide stokken in een hand. Controleer of niets los zit dat naar beneden zou kunnen vallen. Als u in de juiste positie staat met uw board/ski's recht vooruit, kijkt u om of u de lift aan ziet komen en steekt u een hand uit zodat de lift niet tegen uw benen slaat.
Tijdens Zorg dat u de stang omlaag doet.
Afstappen U wordt gewaarschuwd als u aan het einde bent. Til de stang op en richt de punt van uw ski's/board op. Richt uw board voorwaarts in plaats van het naar een kant te laten hangen. Zet u af uit de lift op het weghellende vlak. Let op dat u niet geraakt wordt door de lift. Boarders moeten vermijden om naar hun voeten te kijken en stoppen met een J-bocht, terwijl ze hun achterste voet stevig tegen de achterste binding plaatsen.

5 Weer & terrein

Skiën en snowboarden zijn extreme sporten die onder invloed staan van wisselende weersomstandigheden en sneeuwcondities. Hoewel op gewalste pistes de omstandigheden zelden levensbedreigend zijn (ze worden goed onderhouden en zijn relatief veilig voor lawines), kunnen weer- en sneeuwomstandigheden zeer wisselend zijn. De skiomgeving is er een van grote contrasten. De omstandigheden verschillen niet alleen van land tot land maar ook van helling tot helling. Condities kunnen ook per uur verschillen en tussen de top en de voet van een berg. Laat u dan ook 's middags niet verrassen door een sneeuwstorm zonder uw sneeuwbril omdat het 's ochtends prachtig zonnig weer was, of door uw zonnebril te vergeten omdat het in het dal bewolkt was, terwijl de zon volop schijnt op de bergtop.

Weersomstandigheden

Informeer, voordat u 's ochtends naar de piste vertrekt, naar de weersverwachting voor uw berg. U kunt deze weersverwachting opvragen bij de lokale skipatrouille. Hij wordt ook vaak uitgehangen in het skioord – zelfs in het hotel/chalet als u via een reisorganisatie reist. Als de weersverwachting ongunstig is, zullen sommige liften misschien sluiten. Kijk daarom even bij het hoofdstation van de skilift.

Weerfeiten

Zon Goed voor het zicht, slecht voor zonnebrand en het smelten van sneeuw.
Sneeuw Goed voor 'poedersneeuw', slecht voor het zicht en het nat en koud worden.
Wind Goed voor het creëren van prachtige sneeuwlandschappen, slecht voor het sluiten van skiliften, het vormen van harde, ijzige hellingen en een gevoelstemperatuur die de lichaamstemperatuur verlaagt.
Regen Alleen maar slecht. Maakt van de sneeuw een kleverige pap, waarop onmogelijk gegleden kan worden. Zorgt voor zeer treurige, koude en natte skiërs en boarders. (Gelukkig regent het niet zo vaak op de pistes maar het is iets om op te letten bij lagergelegen skioorden nu de wereld steeds warmer wordt.)
Wolken Slecht voor het zicht omdat wolken voor 'vlak' licht zorgen. Dit betekent dat er geen schaduwen zijn om contouren op het terrein te tonen. Goed als ze sneeuw met zich meebrengen!

Sneeuwcondities

Terwijl weersomstandigheden de kwaliteit van het skiën beïnvloeden door uw plezier en zelfvertrouwen te bepalen, hebben sneeuwcondities invloed op uw plezier en zelfvertrouwen door de kwaliteit van uw skiën te bepalen. Verschillende sneeuwcondities zijn gunstig voor verschillende aspecten van het skiën, zo is poedersneeuw geweldig voor wijd gesneden bochten, maar onbruikbaar voor een beginner die een gerutschte bocht leert. Elk skioord heeft meestal verschillende sneeuwcondities op verschillende pistes, afhankelijk bijvoorbeeld van het aantal gebruikers of de ligging van de piste.

- **Vers gewalste sneeuw** Een 'corduroypiste' met zachte sneeuw is ideaal voor boarders en skiërs. Deze sneeuwsoort doet zich voor nadat sneeuwschuivers de sneeuw hebben gewalst en geëffend met een grote kam.
- **IJzige sneeuw** Komt vaak voor in maart en april of op gletsjers tijdens de zomer als de sneeuw 's middags smelt en 's ochtends bevriest, of in skioorden met veel wind waar verse sneeuw verwaait. Vermijd ijzige sneeuw zoveel mogelijk aangezien kantengrip en beheersing van ski's en board moeilijk is. Komt u op ijs terecht, rem dan niet maar houd uw ski's/board vlak en rem of draai zodra u weer op goede sneeuw bent.
- **Natte sneeuw** Komt vaak voor op gletsjers in de zomer of middagen in maart en april als de sneeuw door de warme zon smelt. Voor boarders is natte sneeuw niet zo erg omdat het board door de sneeuwhopen snijdt, maar skiërs raken snel uit hun evenwicht en gefrustreerd. De benen van zowel skiërs als snowboarders moeten harder werken.
- **Poedersneeuw** Wordt door velen gezien als de ultieme sneeuw omdat het lijkt alsof je zweeft – en je niet bezeert als je valt! Maar het kan desondanks gevaarlijk en frustrerend zijn als u vast komt te zitten in poedersneeuw en het skiën op poedersneeuw vraagt om een andere techniek dan het skiën of boarden op de piste. De helling moet steil zijn zodat u vaart blijft houden – maar houd buiten de piste rekening met lawinegevaar (zie bladzijde 105).
- **Gevarieerd terrein** Buiten de piste bestaat een hele reeks sneeuwsoorten. Het ene moment bevindt u zich op ijs (als de helling aan de zonkant ligt) en het volgende moment glijdt u op diepe poedersneeuw. Voor het skiën buiten de piste hebt u een relatief hoog niveau nodig, zodat u kunt inspelen op uiteenlopende situaties. De houding is meer gebogen, zodat het lichaam kan reageren op alles waarmee het geconfronteerd wordt.

Controleer de waarschuwing voor lawinegevaar bij het hoofdstation van de skiliften. Lawines komen ook voor op gemarkeerde pistes en de waarschuwing is dan ook niet alleen bedoeld voor degenen die zich op tochten buiten de piste begeven.

Op en buiten de piste

Op de piste

Op gewalste pistes is het terrein niet bijzonder gevaarlijk maar nog altijd wisselend genoeg om interessant te zijn. Skioorden proberen hun skiërs goed gemarkeerde en goed onderhouden pistes te bieden met gelijkmatige sneeuwcondities (d.w.z een egaal corduroypatroon). Hoewel de terreinen van de verschillende pistes anders zijn, worden mogelijke gevaren aangegeven, zoals steile rotswanden, rotsen en keien. Maar vergeet niet dat de verschillende soorten sneeuw een helling binnen een paar dagen kunnen veranderen van een gelijkmatige poederweide in een ijzige buckelpiste of een argeloze beginner zonder enige waarschuwing onverwachts kunnen confronteren met een spiegelgladde baan (en een vrolijke beginner veranderen in een zeer gefrustreerde beginneling).

Zoek voor uitdagendere pistes de steile hellingen die uw skioord biedt, het snowpark, of permanente of tijdelijke buckelpisten op.

Buiten de piste

In navolging van radicale snowboarders is het skiën buiten de geprepareerde pistes nu standaard voor gemiddelde en gevorderde skiërs en boarders. In de VS en Canada zijn er gecontroleerde gebieden, waar de sneeuw weliswaar niet geprepareerd is, maar die veilig worden geacht. In Europa bent u echter op uzelf aangewezen en wordt u overgeleverd aan de mogelijke gevaren. Natuurlijk zijn ze zo vriendelijk om te komen en u op tijd uit te graven, mocht u zich onder een lawine begraven (90 % van alle fatale lawineongelukken worden veroorzaakt door de skiër zelf), maar ze bieden u geen veilige gebieden buiten de pistes zoals de Amerikanen. Laat u vergezellen door een lokale, deskundige gids als u zich buiten de piste waagt en informeer van tevoren naar lawines en de benodigde uitrusting. Als de

omstandigheden goed zijn, zult u ongetwijfeld de meest fantastische ervaringen beleven met verse sneeuw en verbluffende sneeuwlandschappen.

Bedreigende omstandigheden buiten de piste Het ontsnappen aan het toeziend oog van het bevoegd gezag (vooral aan de snelheidscontrole in sommige skioorden) en de mensenmassa's is beslist verleidelijk, maar brengt ook gevaren mee. Om in uw eentje buiten de piste te gaan skiën is dom. Als u een ski kwijt raakt, op uw hoofd valt of iets verrekt, wordt een gewoonlijk niet-bedreigende situatie ineens levensbedreigend. Uw mobiele telefoon mag dan wel de modernste zijn op het gebied van video- en internettechnologie, maar als hij geen ontvangst heeft, is hij van evenveel nut als gebarentaal voor een blinde.

Verdwalen is eerder lastig dan riskant, maar het betekent dat u uren door diepe sneeuw moet lopen om te komen waar u zijn wilt. Het is erg vervelend en buitengewoon zwaar om een prachtige middag door te brengen met het verlaten van een gebied, waar u helemaal niet wilde zijn. Mogelijk wordt u zelfs overvallen door de duisternis en moet u onvoorbereid de nacht onder ijzige omstandigheden doorbrengen. Hetgeen uiteraard een bijzonder slecht idee is.

Controleer de kleine lettertjes van uw verzekeringspolis, aangezien sommige maatschappijen niets vergoeden als u zich buiten de piste begeeft.

Lawines

Ondanks dat geprepareerde pistes worden beveiligd door het gebruik van explosieven of lawinebarrières boven de boomgrenzen, kunnen lawines ook voorkomen op de piste (hoewel dit niet erg waarschijnlijk is). Elk jaar vindt een geschat aantal van 100.000 lawines plaats (de meeste niet geregistreerd). Lawines worden gecategoriseerd in lawines van poedersneeuw, natte sneeuw en loslatende platen, en worden allemaal veroorzaakt door instabiliteit van de sneeuwlaag. Als er weinig samenhang is tussen de sneeuwlagen of tussen de sneeuw en de ondergrond, kan afhankelijk van andere factoren een lawine ontstaan.

De relatie tussen terrein, weer, sneeuwlaag en bijzondere gebeurtenissen is essentieel voor het ontstaan van lawines:

- **Terrein** Ofschoon lawines op hellingen tussen 15° en 60° kunnen voorkomen, is het waarschijnlijker dat ze plaatshebben tussen de 30° en 45°. Convexe hellingen vormen spannings- en breuklijnen en vooral als een convex gebied zich hoog op een helling bevindt, zijn lawines waarschijnlijk. Bomen verminderen de druk van de sneeuw, doordat ze de totale sneeuwmassa doorbreken en gedeelten van de helling stabiliseren.
- **Weer** Bepaalt hoe de sneeuwlaag zich met de tijd heeft gevormd en hoe stabiel de sneeuwlaag is.
- **Sneeuwlaag** Een stevige sneeuwlaag van samenhangende sneeuw levert geen lawines op.
- **Bijzondere gebeurtenissen** Onder de gebeurtenissen die een lawine kunnen veroorzaken vallen de inzet van een skistok op een zwakke breuklijn, een corniche of het vallen van ijs, of een dynamietexplosie (gecontroleerde lawines).

6 Een bestemming kiezen

De populariteit van skiën heeft wereldwijd voor toegankelijke en goed onderhouden skioorden gezorgd met een ruime keus voor skiërs en boarders van alle niveaus en leeftijden. U kunt skiën van Andorra, Argentinië of Australië via Schotland, Servië, Slovenië, Spanje of de Verenigde Staten tot Zweden of Zwitserland. Als er een voldoende hoge berg aanwezig is, zult u misschien ook wel een reisorganisatie vinden die u meeneemt. Hoewel een grotere keus altijd wenselijk is, wordt de beslissing zo ook moeilijker en verspilt u meer tijd bij het bepalen van een bestemming. Er zijn duizenden skioorden, die allemaal beweren dat ze beter zijn dan de andere. Maakt u zich niet druk; als er sneeuw is, zult u plezier hebben. Gebruik dit hoofdstuk voor het kiezen van uw bestemming.

T A PORTER
CHAUSSURES
location
SKI ALPIN
SKI DE FOND
VENTE - LOCATION

Skigebied

Vrijwel elk skioord geeft een skikaart uit waarop de liften, pistes, restaurants en hoogte van de plaats staan aangegeven. Ze zijn handig als houvast en om te bepalen waar u heen wilt. De factoren die uw beslissing zullen beïnvloeden zijn: de hoogte, liften, pistes en ligging van de pistes.

Hoogte

Helaas is door de stijgende temperaturen, wellicht tengevolge van de opwarming van de aarde, de sneeuwzekerheid in veel skioorden minder groot. Het is de belangrijkste factor geworden bij het kiezen van een skigebied en zal het blijven als de temperaturen blijven stijgen zoals voorspeld. Hogere wintersportoorden hebben doorgaans een langer seizoen en betere sneeuw (hoewel skioorden boven de boomgrens erg winderig kunnen zijn en lawinegevoelig).

Hoewel in Canada in het dagelijks leven gebruik wordt gemaakt van het metrieke stelsel volgen ze voor het skiën (om redenen die alleen hun bekend zijn) de Amerikanen en gebruiken hun maatstelsel in feet. Om het nog ingewikkelder te maken, gebruiken Amerikanen twee verschillende maten voor een foot; de oude maat die geen enkele verband vertoont met de foot van de rest van de wereld en de geactualiseerde foot die gelukkig dezelfde is als die van de anderen. De maten die gewoonlijk worden gebruikt, zijn:

1 foot = 0,3048 meter
1 meter = 3,28083989 feet

Als u midden in het seizoen gaat skiën, moet u een skigebied kiezen dat tussen de 1000 m/3280 ft en de 2000 m/6560 ft ligt. Gaat u vroeg of laat in het seizoen, dan is de hoogte van het wintersportoord nog belangrijker. In laaggelegen skigebieden, zoals in de Pyreneeën, zal de seizoensduur binnen de komende 30-40 jaar met 20 % afnemen. Ze ondervinden nu al hinder van een dunnere sneeuwlaag. Kies een zo hoog mogelijk gebied, op tenminste 1500 m/4920 ft en liefst boven de 1800 m/5900 ft. Dit staat nog niet garant voor sneeuwbedekking aan het begin van het seizoen, aangezien de hoogte van de landmassa van weinig belang is voor de weersomstandigheden op een willekeurige dag. Maar hij is wel van invloed op de temperatuur, waardoor neerslag eerder in de vorm van sneeuw zal vallen. Uw accommodatie hoeft niet hoog te liggen zolang u er geen bezwaar tegen hebt om in een bus of kabelbaan naar de sneeuw te reizen.

Liften

Let op De informatie over liften en pistes is niet altijd zinvol voor nordicskiërs, die vaak beter op internet kunnen kijken voor speciale nordictrails.

Beginnende boarders Kies liever een skioord met stoeltjesliften en kabelbanen dan met sleepliften. Sleepliften (zie bladzijde 95) zijn erg lastig voor boarders, aangezien u uw voet moet verdraaien en tevens de hele tijd uw evenwicht moet zien te bewaren. Indien mogelijk, kiest u een gebied met een beginnersweide voorzien van een stoeltjeslift.
Beginnende skiërs Kies een gebied met tenminste drie verschillende soorten liften die de groene of blauwe pistes bedienen.
Gemiddelde en gevorderde skiërs en boarders Kies een gebied met voldoende afwisseling (vijf liften die verschillende hellingen bedienen zijn het minimum om uw interesse een week vast te houden).
Freestyleskiërs en -boarders Kies een locatie voorzien van een snowpark met lift als u een drukbezocht park met toeschouwers wilt, of zonder als u naar serieuze freestylers op zoek bent. Let erop dat sommige plattegronden speeltuinen als snowparks aangeven. Vraag elk jaar bij het skioord na welke speciale creaties er zijn.

Pistes

Als u van plan bent aan de andere kant van de Atlantische Oceaan te gaan skiën, bedenkt u zich dan dat de pistes aan de andere kant van de plas anders worden omschreven. Ook begrenzen de Amerikanen hun pistes vaak in acres en geven Europeanen de lengte van pistes aan in kilometers. Aan beide kanten van de plas proberen ze aan te tonen dat hun pistes de grootste zijn. Vergelijkingen kunnen weliswaar gemaakt worden, maar neemt u statistieken en de hieraan gerelateerde kwaliteit met een korreltje zout.

De pistes worden ingedeeld in kleuren, waarbij de steilheid als maatstaf dient. Hoe steiler de helling of gedeelten van de helling, des te hoger het niveau. Daarom zult u op een groene piste nergens een steil stuk tegenkomen. Buckels worden ook opgenomen voor de beoordeling, omdat een buckelpiste zwaarder is dan een helling met hetzelfde verloop zonder buckels.

Aangezien het een nieuwe sporttak betreft, zijn boarders niet opgenomen in het gradatiesysteem. Boarders vinden steilere hellingen makkelijker, omdat ze dan kunnen sideslippen (zie bladzijde 82). Een groene piste met vlakke stukken is voor beginnende boarders hopeloos aangezien zij moeite hebben om rechtuit te glijden en vaart vast te houden, en waarschijnlijk hun board moeten afbinden om verder te lopen. Het is handig als een boarder de buurt een beetje kent, omdat een kaart meestal de vlakke en smalle doorgangen op een piste niet aangeeft.

Kleurgradatie voor pistes

Moeilijkheidsgraad	Amerika	Europa
Beginner	Groen	Groen
Beginner/middelmatig	Blauw	Blauw
Middelmatig/gevorderd	Rood	Zwarte ruit
Gevorderd	Zwart	Dubbele zwarte ruit

Beginnende boarders Meestal zijn rode pistes steiler, wat beter is voor een boarder, maar er kunnen toch vlakke stukken in het midden zijn. Zoek een gebied met een beginnersweide en tenminste vijf blauwe pistes, en bij voorkeur een aantal met rode/zwarte ruiten.
Beginnende skiërs Zoek een gebied met een beginnersweide en tenminste vijf lange groene en blauwe pistes.
Middelmatige en gevorderde skiërs en boarders Zoek een groot skigebied met tenminste twee of drie pistes met zwarte/dubbele zwarte ruiten en een aantal met rode/zwarte ruiten. Controleer of de helling/berg grenst aan een ander skioord zodat het skigebied uitgebreid kan worden.
Freestylers en freeriders Kies een gebied met enkele uitdagende mogelijkheden buiten de piste (soms is kennis over de streek vereist) en een snowpark, liefst met een half-pipe op een redelijke hoogte om goede sneeuw te garanderen.

Ligging van de hellingen

De sneeuwcondities zijn afhankelijk van de ligging van de hellingen. Als regel geldt dat bergen op het noordelijk halfrond vaak 's ochtends zonnige hellingen op het zuiden hebben waar de sneeuw eerder smelt dan op de hellingen op het noorden en 's middags zonnige hellingen op het westen als de zon warmer is en de sneeuw sneller smelt. Op het zuidelijk halfrond geldt voor de hellingen op het oosten en westen hetzelfde als op het noordelijk halfrond, maar voor de hellingen op het zuiden en noorden geldt het omgekeerde. Daarom blijft op de naar het zuiden gekeerde hellingen de sneeuw langer liggen, maar bevinden ze zich het grootste deel van de dag in de schaduw.

Daarnaast spelen ook de tijd van het jaar, verloop van een helling, weersomstandigheden en de hoogte van omringende bergen een rol bij het bepalen hoeveel zon een helling zal krijgen. Als u lokale informatie kunt krijgen voordat u vertrekt, kunt u hiermee uw voordeel doen. Kies anders een skioord waar u zowel op hellingen op het zuiden als op het noorden kunt skiën zodat u 's ochtends voordat de sneeuw pappig wordt in de zon skiet en 's middags naar de andere kant gaat als de sneeuw zachter wordt.

Andere factoren

Weerberichten

Als u het zich kunt permitteren om tot het laatste moment te wachten met het boeken van een skivakantie, kunt u uw beslissing baseren op de laatste weersvoorspellingen. Ook als u vroeg boekt, kunt u de weersomstandigheden van dit gebied in het verleden nazien. Houd in gedachte dat niet alleen perfecte sneeuwcondities verantwoordelijk zijn voor de ultieme skiervaring. Als beginner wilt u misschien niet per definitie naar een gebied waar het ijzig koud is, maar naar een gebied met heerlijk verse sneeuw, zoals Whistler in Canada in januari. Misschien bent u op zoek naar zon en zachtere sneeuw om te leren skiën, bijvoorbeeld Pas de la Casa in Andorra in de lente.

Prijs

Als prijs de belangrijkste overweging vormt, moet u op de volgende punten letten: skipas, accommodatie, huur van de uitrusting, voedsel, transport naar en van het skioord, activiteiten voor kinderen zoals crèches, skischool en tot slot après-ski. Het stijgen of dalen van verschillende koersen werkt uiteraard door in de prijzen, wat doorslaggevend kan zijn voor uw bestemmingskeuze.

Houd rekening met alle bovengenoemde factoren. Als u slechts een van de bovengenoemde prijzen vergelijkt, bijvoorbeeld de accommodatie, zult u er achter komen dat de totale prijs van uw reis hoger kan zijn dan in een skioord met duurdere accommodaties. Vaak worden de accommodaties of het vervoer gesubsidieerd door een reisorganisatie, waardoor de prijs voor een week goedkoop lijkt, maar door de prijzen in het skioord voor voedsel, alcohol of de huur van de uitrusting lopen de kosten op.

Kinderen

Ondernemers en reisagenten sloven zich uit om vertier te bieden aan kinderen. Zo zijn er crèches en speeltuinen, kinderskischolen en oppasdiensten voor de avonden. Dankzij deze uitgebreide keus vormen kinderen niet langer een bepalende factor bij het kiezen van een bestemming. In de meeste plaatsen kunnen kinderen vanaf vijfjarige leeftijd skilessen krijgen en in sommige skioorden kunnen vierjarigen al leren skiën. Bekijk van tevoren de minimumleeftijden voor de verschillende skioorden.

Accommodatie

Hoewel de accommodatie niet direct van invloed is op de ski-ervaring voor zover het de sport betreft, draagt uw accommodatie bij (of niet) aan het plezier van de hele reis. Er zijn drie hoofdtypen accommodatie:

- Hotel
- Chalet of appartement inclusief maaltijden
- Chalet of appartement waarbij u zelf de maaltijden verzorgt

De meeste mensen met een gemiddeld uithoudingsvermogen zijn na een paar dagen skiën bekaf en zullen blij zijn als ze niet zelf voor de maaltijden hoeven te zorgen (en zullen niet elke avond een restaurant willen zoeken). Daarom wordt graag voor volpension gekozen. Maar zo lang u zich niet hoeft te houden aan speciale tijden voor de maaltijden in uw hotel of u samen met anderen kunt koken, is er ook veel voor hotels of alleen logies te zeggen.

Het afleggen van enorme afstanden van uw accommodatie naar de pistes is geen pretje. Kiest u toch voor een accommodatie die niet naast een skilift of piste ligt, controleer dan of er regelmatig lokale bussen rijden. De meeste skioorden bieden gratis busvervoer aan op vertoon van uw skipas. Kijk ook of u uw uitrusting ergens kunt onderbrengen zodat u niet elke dag met uw uitrusting hoeft te slepen met uw logge skischoenen aan uw voeten.

Als u aan de rand van een piste verblijft, informeer dan of er 's avonds bussen rijden om u naar de lokale winkels, bars en restaurants te brengen.

Après-ski

Hoewel skiën en snowboarden serieuze sporten zijn, worden ze ook geassocieerd met ontspanning na het skiën. Bij skiën kunt u niet de voordeur uitlopen om voor een paar uurtjes van de sport te gaan genieten, zoals bij tennis of hardlopen. Zo wordt skiën onvermijdelijk een vakantie met alle gebruikelijke vakantieactiviteiten die daarbij horen. Als u de energie kunt opbrengen, biedt het nachtleven in skioorden vaak veel vertier. Kies een skioord met een ruime keus aan bars (vrijwel alle skioorden in de wereld) en het liefst met aanwezigheid van een touroperator, aangezien het personeel altijd in is voor een feestje!

Andere gangbare après-skiactiviteiten zijn zwemmen, lokale excursies, bowlen en schaatsen, om er een paar te noemen. Activiteiten in de sneeuw zijn rijden met een sneeuwscooter of sneeuwmobiel, sleeën, klimmen op overdekte klimwanden, parascenden of parapenten, en in sommige skioorden zelfs sleeën met rendieren!

Snow-shoeing wordt steeds populairder en skioorden verhuren vaak uitrustingen en een gids, zodat degenen die verzot zijn op wandelen zullen zien dat er steeds meer skioorden zijn die aan hun wensen tegemoet komen.

Speciale behoeften

Skiën heeft zich razendsnel ingesteld op het tegemoet komen van mensen met speciale behoeften. Skioorden zijn toegankelijker geworden, verhuurbedrijven bieden specialistischere uitrustingen aan en scholen beschikken vaak over speciaal opgeleide leraren. Ook zijn er vaak clubs en verenigingen die aangepaste skireizen organiseren vanuit uw eigen land. Het is tegenwoordig heel gebruikelijk om iemand een berg af te zien vliegen in een sit-ski of een blinde skiër naast een gids te zien skiën. Tegenwoordig weerhoudt nog maar weinig degenen met speciale behoeften ervan om volop van de sport te genieten.

Bergrestaurants

Als u het zich kunt veroorloven of tijdens uw reis graag wilt ontspannen en elke dag bovenop een bergtop wilt eten, zou u moeten controleren over hoeveel bergrestaurants uw skioord beschikt. Als er maar een of twee zijn, bent u misschien snel uitgekeken en bovendien zal het restaurant rond lunchtijd erg druk zijn. Restaurants worden doorgaans aangegeven op de skikaarten. Bedenk wel dat de prijzen in bergrestaurants vaak hoger liggen, omdat een of andere arme ziel wekelijks de bestellingen omhoog moet slepen.

Internationale gids voor skioorden

Afrika

Lesotho
Oxbow
Hoogte: 2600 m Liften: 2
- Uitstekend voor zomersneeuw
- Basisvoorzieningen

Marokko
Oukaimeden
Hoogte: 3258 m Liften: 8
- Ezelritjes naar omringende gebieden

Australië

New South Wales
Perisher Blue
Hoogte: 2084 m Liften: 45
- Grootste skigebied van Australië met 4 skioorden

Tasmanië
Ben Lomond
Hoogte: 1572 m Liften: 8
- Soms weinig sneeuw
- Niet erg interessant voor boarders

Victoria
Mt Buller
Hoogte: 1780 m Liften: 25
- Plezierig en vriendelijk
- Goed onderhouden pistes en freestyle-voorzieningen

Azië

China
Yabuli Ski Resort
Hoogte: 1256 m Liften: 9
- Voornaamste skioord van China
- Avondskiën
- Beschikt over de langste sleebaan ter wereld

India
Gulmarg (Himalaya)
Hoogte: 4138 m Liften: 6
- Een van de hoogste skigebieden ter wereld
- Heli-skiën
- Voordelige accommodaties

Iran
Dizin
Hoogte: 3500 m Liften: 8
- Skipas voor een dag ongeveer 3,5 ($ 4)
- Slecht onderhouden pistes

Israël
Mount Hermon
Hoogte: 2000 m Liften: 7
- Extreme weersomstandigheden
- Pistes doorgaans slecht onderhouden

Japan
Hukuba Iwatake (Negano)
Hoogte: 1289 m Liften: 15
- Snowpark
- Skiën buiten de piste mogelijk

Hirafu (Hokkaido)
Hoogte: 1200 m Liften: 18
- Het kan moeilijk zijn om het hele skigebied te doorkruisen

Korea
Phoenix Park
Hoogte: 1050 m Liften: 9
- Snowpark met half-pipe
- Slechte sneeuwcondities mogelijk

Pakistan
Malam Jabba
Hoogte: 2800 m Liften: 2
- Enige skioord van Pakistan en regelmatig gesloten
- Veiligheid van de liften is twijfelachtig

Canada

Alberta
Lake Louise
Hoogte: 2637 m Liften: 11
- Pittoreske pistes
- Goed onderhouden freestyleconstructies

British Columbia
Whistler-Blackcomb
Hoogte: 2182 m Liften: 33
- Grootste skigebied van Noord-Amerika
- Betaalbaar en goed onderhouden

New Brunswick
Crabbe Mountain
Hoogte: 404 m Liften: 4

Mont Farlagne
Hoogte: 323 m Liften: 4

Newfoundland
Marble Mountain
Hoogte: 498 m Liften: 5
- Mooie steile hellingen voor afdaling
- Mooie vlakke terreinen voor crosscountry

Nova Scotia
Wentworth
Hoogte: 302 m Liften: 7
- Kan erg druk zijn
- Soms weinig echte sneeuw, maar goede kunstmatige sneeuw

Ontario
Mount St Louis
Hoogte: 396 m Liften: 14
- Uitstekende kunstmatige sneeuw
- Zeer moderne liften

Quebec
Tremblant
Hoogte: 914 m Liften: 12
- Behoort tot de geliefdste skioorden van Canada
- Buitengewoon goede sneeuw op elk moment van de dag (pistes naar 4 verschillende richtingen gekeerd)

Europa

Andorra
Pas de la Casa
Hoogte: 2640 m Liften: 31
- Goed onderhouden pistes en park met snowboard-/skicrossbaan
- Uitgestrekt skigebied

Bulgarije
Borovets
Hoogte: 2530 m Liften: 11
- Betaalbaar

Duitsland
Garmisch
Hoogte: 2830 m Liften: 38
- Goed opgezet en goed onderhouden
- Parken, pipes en een gletsjer

Engeland, Ierland en Wales
Ten opzichte van de rest van Europa benadeeld wat betreft besneeuwde bergen, maar met uitstekende indoorhallen.
- Twee snowdomes, in toekomst meer
- Veel borstelbanen, vrijwel allemaal met toegewijde training en freestyleavonden

Finland
Levi
Hoogte: 725 m Liften: 19
- Uitstekend voor nordicskiën; middelmatig voor afdalingen
- 2 half-pipes

Frankrijk
Les Trois Vallées beweert het meest uitgestrekte skigebied ter wereld te hebben met 200 liften en omvat Courchevel, La Tania, Meribel, Mottaret, Val Thorens (hoogste skioord) en Les Menuires.

Chamonix
Hoogte: 3842 m Liften: 48
- Geweldig voor extreme sportjunkies
- Goede sneeuwbedekking en groot skigebied

Griekenland
Mt Parnassos
Hoogte: 2260 m Liften: 16
- Belangrijkste skigebied van Griekenland
- Kan erg druk zijn

Groenland
Sisimiut
Hoogte: 1600 m Liften: 1
- Nordic-resort
- Thuisbasis van de 'Arctic Circle Race' – een extreme manier om 3 dagen door te brengen

Italië
Courmayeur
Hoogte: 2755 m Liften: 30
- Op de gletsjer Colledel Gegante kan zowel in de zomer als winter geskied worden
- Elegant skioord
- Goed pak sneeuw

Pila
Hoogte: 2750 m Liften: 13
- Veel betaalbaarder dan het nabijgelegen Frankrijk
- Kabelbaanverbinding met stad Aosta

Noorwegen
Trysil
Hoogte: 1100 m Liften: 24
- Grootste skioord, biedt enkele van de beste mogelijkheden voor winterskiën
- Uitstekende sneeuw maar bitterkoud

Oostenrijk
De prachtige stad Innsbruck vormt toegang tot 7 lokale skioorden, thuisbasis van de Internationale Snowboard Federatie, tevens zelf skioord

Neustift en de Stubaigletsjer
Hoogte: 3200 m Liften: 19
- Skiën het hele jaar door mogelijk
- Snowpark

St Anton
Hoogte: 2811 m Liften: 34
- De moeder van alle skioorden, door historie omgeven
- Voornamelijk voor gevorderde skiërs
- Druk en aan de prijzige kant

Polen
Zakopane
Hoogte: 1960 m Liften: 20
- Betaalbaar
- Rijke cultuur

Roemenië
Zakopane
Hoogte: 1960 m Liften: 11
- Best georganiseerde skioord van Roemenië
- Gelegen rond een meer

Russische Federatie
Cheget
Hoogte: 1340 m Liften: 5
- Grootste skioord van Rusland
- Kan uitlopen op een tamelijk primitieve ervaring met weinig sneeuw en slecht onderhouden pistes en liften

Schotland
Glenshee
Hoogte: 1060 m Liften: 26
- Soms weinig sneeuw

Slovaakse Republiek
Jasna
Hoogte: 2000 m Liften: 24
- Druk rond Kerstmis en Pasen

Slovenië
Krvavec
Hoogte: 1970 m Liften: 13
- Betaalbaar
- Minder druk dan andere Sloveense skioorden
- Geen garantie voor goede sneeuwcondities

Spanje
Candanchú
Hoogte: 2400 m Liften: 24
- Betaalbaar
- Geen noemenswaardig nachtleven

Zweden
Ore
Hoogte: 1420 m Liften: 44
- Prachtige uitzichten op pittoreske dorpjes
- Door de meeste buitenlandse touroperators genegeerd
- Soms lange rijen voor liften

Zwitserland
Verbier
Hoogte: 3330 m Liften: 48
- Maak kennis met de rijken en de sterren
- Langer seizoen dan de meeste skioorden
- IJsskiën

Saas Fee
Hoogte: 3550 m Liften: 26
- Relatief onaangetast, rustig dorpje
- Geweldige skimogelijkheden buiten de piste
- Goede sneeuwbedekking

Nieuw-Zeeland

Noordereiland
Whakapapa ('Wh' uitgesproken als 'F')
Hoogte: 675 m Liften: 24

- Gemiddelde sneeuwcondities
- Uitgestrekt, gevarieerd en gebied buiten de piste bereikbaar

Zuidereiland
Remarkables
Hoogte: 325 m Liften: 5
Coronet Peak
Hoogte: 428 m Liften: 7

- Betaalbaar
- Geweldige parken, avondskiën en nachtleven
- Soms weinig sneeuw

Verenigde Staten

De oostkant van de VS heeft meerdere voornamelijk kleine, speciaal gebouwde skioorden, vaak met meer kunstmatige dan echte sneeuw. In het westen van de VS is alles doorgaans groter, afgezien van de rijen voor de lift. Doordat het rustig is, lijken de wijde, open hellingen nog groter. Zowel porties als accommodatie richten zich op de grote man.

Alaska
Alyeska
Hoogte: 1200 m Liften: 9

- Met name voor middelmatige en gevorderde skiërs
- Snowpark
- Avondskiën

Alabama
Cloudmont Ski Resort
Hoogte: 548 m Liften: 2

- Bescheiden hoogte en voorzieningen
- Overleeft het op een of andere manier in het milde klimaat van Alabama

Arizona
Sunrise Park
Hoogte: 3352 m Liften: 10

- Verheft zich uit de woestijn
- Goede pistes voor afdaling en crosscountry

Californië
Heavenly
Hoogte: 3000 m Liften: 29

- Verbindingen met 5 gebieden rond Lake Tahoe met een enkele skipas
- Prachtige uitzichten op Lake Tahoe en Nevada Desert
- Goede sneeuw met kunstmatige sneeuwreserve

Colorado
Aspen
Hoogte (Aspen Mountain): 3815 m
Liften: 39 (verdeeld over 3 gebieden, aan elkaar verbonden door gratis busvervoer)

- Aspen Mountain voor middelmatige en gevorderde skiërs; Buttermilk voor beginners

Connecticut
Power Ridge
Hoogte: 228 m Liften: 7
Mount Southington
Hoogte: 160 m Liften: 7

- Goede freestylevoorzieningen

Georgia
Sky Valley
Hoogte: 1066 m Liften: 2
- Geweldig familieskioord, met golfvoorzieningen
- Beperkt skigebied

Idaho
Sun Valley
Hoogte: 2798 m Liften: 18
- Exclusief, elegant skioord met verfijnde après-ski
- Uitdagend terrein

Indiana
Perfect North
Hoogte: 243 m Liften: 13
- Druk maar meer liften dan de meeste skioorden in het Midwesten

Iowa
Fun Valley
Hoogte: 378 m Liften: 5
- Park en een pipe

Maine
Sunday River
Hoogte: 957 m Liften: 18
- Goede kunstmatige sneeuw
- Geweldige freestyleparken met een minipipe voor beginners, en hits en jibs voor gevorderden

Maryland
Wisp
Hoogte: 939 m Liften: 7
- Goede parkvoorzieningen
- Ontzettend druk

Massachusetts
Jiminy Peak
Hoogte: 728 m Liften: 10
- Behoort tot de grootste en hoogste kleinere skioorden van Massachusetts

Michigan
Alpine Valley
Hoogte: 369 m Liften: 20

Montana
Big Mountain
Hoogte: 2133 m Liften: 10
- Fantastische mogelijkheden voor treeskiing
- Permanent goede sneeuw

Nevada
Mount Rose
Hoogte: 2960 m Liften: 7
- Grote snowparken
- Grenst aan het prachtige Lake Tahoe

New Hampshire
Black Mountain
Hoogte: 730 m Liften: 4
- Niet het grootste gebied van de staat, maar geweldige stemming

New Jersey
Campgaw
Hoogte: 220 m Liften: 5
- Skigebied dat zich het dichtst bij New York City bevindt
- Voornamelijk voor beginners

New Mexico
Ski Apache
Hoogte: 3505 m Liften: 11
- Goede sneeuw
- Tamelijk slechte toegangsweg

New York
Whiteface Mountain
Hoogte: 1385 m Liften: 11
- Goede verticale dalingen
- Niet aflatende wind veroorzaakt problemen bij aanhoudende sneeuwval
- Park, maar niet van bijzondere kwaliteit

North Carolina
Beech Mountain
Hoogte: 1680 m Liften: 9
- Grootste van de 7 commerciële gebieden van de staat
- Steiler en langer terrein dan bij de buren

North Dakota
Bottineau Winter Park
Hoogte: 634 m Liften: 5
- Park met een pipe

Ohio
Brandywine is het grootste van de kleinere skioorden van Ohio

Alpine Valley (472 m) Liften: 12
- Het populairst en het best
- 100 % kunstmatige sneeuwbedekking

Oregon
Ferguson Ridge
Hoogte: 1750 m Liften: 2
- Non-profit skioord, gerund door vrijwilligers

Mount Bailey
Hoogte: 2550 m Liften: geen

Pennsylvania
Seven Springs
Hoogte: 910 m Liften: 14
- Heerlijk familieskioord

South Dakota
Terry Peak
Hoogte: 2164 m Liften: 5
- Grootste van de kleinere skioorden van de staat
- Snowpark

Tennessee
Ober Gatlinburg
Hoogte: 1005 m Liften: 3
- Goede capaciteiten om sneeuw te maken
- Amusementspark aangesloten

Utah
Snowbird
Hoogte: 3352 m Liften: 18
- Uitdagend terrein
- Ontspannen après-ski

Alta
Hoogte: 3215 m Liften: 18 (met Snowbird)
- Over het algemeen uitstekende sneeuw
- Boarders niet toegestaan, lijkt ook geen verandering in te komen

Vermont
Killington
Hoogte: 1285 m Liften: 32
- Bereikbaar voor inwoners van New York
- Goed onderhouden snowparken
- Bruisend nachtleven

Virginia
Snowshoe
Hoogte: 1478 m Liften: 14
- Gevarieerd terrein en goede sneeuwcondities
- Parken en pipes

Washington
Snoqualmine
Hoogte: 1645 m Liften: 22
- Geweldige pipe
- Sluit soms bij gebrek aan sneeuw

Wisconsin
Devil's Head resort
Hoogte: 303 m Liften: 15
- Geweldige pistes voor tree-skiing
- Goede freestyle

Wyoming
Jackson Hole
Hoogte: 3186 m Liften: 11
- Opwindende gebieden buiten de piste voor gevorderde skiërs

Zuid-Amerika

Argentinië
Las Leñas
Hoogte: 3431 m Liften: 11
- Hoogste skioord in Andesgebergte

Chili
Valle Nevado
Hoogte: 3659 m Liften: 9 (verbindingen met La Parva en El Colorado, in totaal 42 liften)
- Maakt deel uit van een zich snel ontwikkelend skigebied
- Altijd goede sneeuw aanwezig

Venezuela
Mérida
Hoogte: 4765 m Liften: 1
- Rij voor de lift kan 4 uur duren
- Steile rotsen en bergspleten, niet geschikt voor angsthazen

Overzicht van de skigebieden

De Verenigde Staten hebben van alle landen met 325 (bediend door 2370 liften) de meeste skioorden. Oostenrijk komt op de tweede plaats met 51 skioorden. Maar Frankrijk beschikt over een indrukwekkend aantal van 7029 liften, die 16 skigebieden bedienen, terwijl Oostenrijk maar 1112 liften heeft voor zijn 51 skioorden. Het volgende meedingende land is Italië met 904 liften, die 17 skigebieden bedienen. Alhoewel Japan niet ver achter ligt, moge het duidelijk zijn dat de grootste spelers op skigebied de VS en de landen van de Europese Alpen zijn. Maar skioorden ontwikkelen zich pas nadat ze door skiërs zijn ontdekt en bezocht worden.

Verklarende woordenlijst

Air Manoeuvre in de lucht

Buckel Bobbel op een skipiste

CamelBak Een stevige waterzak voor op uw rug met een slangetje om uit te drinken

Corduroy Het corduroyachtige patroon op de sneeuw van de piste veroorzaakt door de sneeuwschuivers

Corniche Overhangende sneeuwlaag aan de top van een bergrand of een klip

Fakie Achteruit skiën of boarden

Geprepareerde/gewalste sneeuw Sneeuw die geëgaliseerd is door een sneeuwschuiver

Goofy Glijden met de rechtervoet naar voren

Half-pipe Een schans in de vorm van een halve buis. Beide kanten worden door boarders en skiërs gebruikt om de lucht in te springen

Heli-skiën Per helikopter afgelegen gebieden opzoeken om te skiën of boarden

Hit Een verhoogd oppervlak van sneeuw om vanaf te springen

Jibben Tricks uitvoeren

Monoski Een brede ski waarop beide voeten worden vastgemaakt en beide in de glijrichting wijzen

Parascenden/parapenten Het door de lucht glijden met behulp van een soort parachute

Park Speciaal voor freestyle gemarkeerd terrein

Piste Frans woord voor een gemarkeerde en geprepareerde helling om te skiën of boarden

Rail Een metalen of plastic rail voor boarders of skiërs om op te glijden

Regular Glijden met de linkervoet naar voren

Sneeuwschuiver Op een tank lijkende machine op rupsbanden om de sneeuw voor de piste te walsen

Snot-pad Zachter, fluweelachtig gedeelte op handschoenen om uw neus te snuiten

Stomp pad Gedeelte met ruwer materiaal tussen de bindingen van snowboards

Swingweight De verdeling van het gewicht over de lengte van de ski's of het board. Een verlaagd swingweight betekent meer gewicht in het midden (maakt snellere draaiingen mogelijk) terwijl een verhoogd swingweight meer gewicht aan de punt en achterkant heeft (geeft stabiliteit bij hoge snelheden).

Taillering De boogvormige uitsnijding van ski's en boards

Tranceiver Een elektronisch apparaat dat signalen uitzendt of ontvangt zodat slachtoffers van lawines gelokaliseerd kunnen worden

Twin tip Ski's of board met een omhoog gebogen voor- en achterkant

Vallijn De rechtste weg langs de helling naar beneden (de weg die een bal automatisch zou afleggen als hij losgelaten zou worden)

Register

achillespees 64
Afrika 117
air 90-1
alpineskiën 7
Andorra 113, 118
après-ski 115-116
Australië 118
Azië 117

belag, slijpen 51
beschermer
  knie 22
  lichaam 22
  pols 22
  rug 22
  zitvlak 22
bindingen
  voor skischoenen 31-33
  voor snowboardschoenen 41-42
blessures 62-67
boards *zie* snowboards
bochten
  skiën 78-79
  snowboarden 84-86
borstelbanen 8, 9
botbreuken 63
broek 20
buckelpiste (moguls) 92-94

CamelBak 21, 65
Canada 109, 113, 118
carveboards 37, 38
carven 79
  ski's 27, 28
conditie 53-59
crosscountry 7
  ski's 27

Dendex 9
droog blijven 22
duimblessure 63
Duitsland 119

Engeland 119
etiquette 72-75

Finland 119
fleece 23
Frankrijk 119, 124
freeride
  ski's 27
  snowboards 37, 38
freestyle 87-95
  skiën 87
  ski's 27
  snowboarden 88
  snowboards 37, 38

Gore-Tex 18
grabs 90-91
grasskiën 8
Griekenland 119
Groenland 119
groepslessen 10
handwarmers 21
handschoenen 17, 21
hellingen 112
helm 17, 22
hersenschudding 62
hoed 17, 22
hoogte 109
hoogteziekte 64-65
hulp 66

internationale gids skioorden 117-124
Internationale Ski Federatie 72
internationale skivariaties 11
Italië 119, 124

Japan 117, 124
jas 18-20

kanten, onderhoud 50-51
kinderen 114
kleding 15-23
kneuzingen 64
kunstmatige sneeuw 8

langlaufski's 27
lawines 102, 103, 105
lessen, groeps- en privé- 10
liften 110
  etiquette 75
  sleepliften 95-96, 110
  stoeltjesliften 96

masker, ski- 21

Nieuw-Zeeland 120-121
Noorwegen 7, 119-120
nordicskiën 7
  ski's 27

ollie en nollie 88
ondergoed 23
Oostenrijk 118, 124

pipe, snowpark 89
pistes 111-112
piste, buiten 103-104
poedersneeuw 94
  ski's 27
Polen 120
polsbeschermer 22
polyester 23
P-Tex 51

rails 89
restaurants 76
  berg- 116
Roemenië 120
rotaties 91
Rusland 120

schansspringen 7, 27

schoenen
ski 30-31
bindingen 31-33
gebruik 34-35
snowboard 7, 40-41
bindingen 41-42
aandoen 43-44
Schotland 120
schuss 79
skiën
etiquette 72-75
internationale variaties 11
vorderingen 76-79
skiercross
ski's 27
skimasker 21
skioorden 106-120
accommodatie 113, 114-115
hoogte 109
internationale gids 117-124
kinderen 114
prijzen 113
ski's 25-29
dragen 47-48
kanten 29
omgang 35
onderhoud 49-51
opbouw 26
vervoer 46
welving 29
skischool 9-13
typische dag 12-13
skistokken 33
dragen 48
gebruik 35
slalom
beschermers 22
boards 37, 38
ski's 27
Slovenië 120
sneeuwblindheid 65
sneeuwbril 16
sneeuwcondities 101-103, 109, 113
sneeuwploeg
beweging 78
sneeuwploegbocht 78-79
snowboarden 7
bescherming 21
etiquette 72-75
vorderingen 80-86
snowboards 25, 36-39
doeleinden, speciale 37
dragen 48
flexie 39
gewicht 39
kanten 39
kiezen 37
lengte 37
onderhoud 49-51
opbouw 36
vorm 38
welving 39
snowpark 89
snow-shoeing 116
sokken, ski- 23
Spanje 120
spins 91
stappen, zijwaarts 77
steile hellingen 94
stomp pad 39

telemark 27
terrein 99, 103-105
thermische materialen 23
toerski's 27
training 53-59

uitdroging 65
uitrusting 15, 25-51
dragen 47-48
kopen of huren 45-46
mode 45
onderhoud 49-51
prijs 45
tweedehands 46
vervoer 47
zakken 46

vakantie, ski- 8-9
Verenigde Staten 109, 121-124
verzekering 66-67, 104
visgraat 77-78
vlak terrein
skibewegingen 87
snowboardbewegingen 88
voeding 60-61

wanten 21, 22
warm blijven 21, 22, 23
warming-up 58-59
waterdicht 18
waxen 49-50
weer 99-102, 113
whiplash 62-63

zelfvertrouwen 11
zijde 23
zonnebrandcrème 17, 21
zonnebril 16
Zuid-Amerika 121
Zweden 120
zweepslag 62-63
Zwitserland 120

Dankbetuiging Buitengewone dank gaat uit naar Jean, Nigel, Ginny, Jon, Harry en Zoe Cobb, Fi Rawlings, Ben Harris, Dave Cox, Conan Bellas, Laura Wake, Kerr Stewart, Duncan Adamson, Richie MacMonkey, Frankie Jennings, Jade McJannet, Seb Cohen, Ali Baker, Sam 'Geek' Bourton, Kev Little Cowells, Beth Woodall, Phil Price, Harry Crabtree, Jack Hurrel, Martin Creasey. En in het bijzonder naar Neil McNair, Em Foot, Gemma Orange en Rab Bikerdike.

Dank aan Liz Butler bij Mark Warner. Aan Nick Marshallsay en David Short, Carly Madden, Ben O'Brian en Abi Taylor. Dank aan iedereen van Chalethotel Tarentaise en skischool Snow Systems.

Mark Warner is al meer dan 30 jaar actief in de Alpen. De skibrochure beroemt zich op een keuze van vijftien Chalethotels en een traditioneel chalet, gevestigd in tien van de aantrekkelijkste skioorden ter wereld, namelijk:

Val d'Isère
Tignes
Courchevel 1850
Méribel
Mottaret
La Plagne
Les Deux Alpes,
Alpe d'Huez
St Anton
Courmayeur.

Sinds het bedrijf in 1974 begonnen is, wordt een Mark Warner-skivakantie nog altijd gekenmerkt door de eersteklas skioorden van hoog niveau, goede accommodatie, goed gezelschap en verzorging, en enthousiast personeel. Deze combinatie heeft samen met de gezellige sfeer voor skivakanties gezorgd die al 30 jaar een succesverhaal zijn.

Bel voor reserveringen +44-(0)870 770 4226
www.markwarner.co.uk
sales@markwarner.co.uk